Die Spurlosen

Philemon und Baukis

Die Spurlosen

by Heinrich Böll

AND

Philemon und Baukis

by Leopold Ahlsen

Edited by Anna Otten, Antioch College

The Odyssey Press, Inc., New York

Foreword

The texts of the two radio plays, Heinrich Böll's *Die Spurlosen* and Leopold Ahlsen's *Philemon und Baukis*, may be used as early as the second semester of college German or the second year of a high school course. The plays have been selected both for their literary merit and their clarity and simplicity of language. Questions are provided for the teacher interested in oral skills.

The language should present little difficulty to the student who has completed a basic course in German. Footnotes are provided for any special difficulties. The 500 most frequent words listed in Ryder and McCormick's *Lebendige Literatur*[1] have been omitted from the end vocabulary. The practice of the original editions has been followed with respect to the capitalization of *du*, *dich*, etc.

I gratefully acknowledge the help and encouragement of Professor Christian Schneider of the University of California at Santa Barbara and Cary Nelson of Antioch College.

1. Ryder and McCormick, *Lebendige Literatur, Deutsches Lesebuch für Anfänger* (Boston, Houghton Mifflin, 1960).

Introduction

Heinrich Böll is one of the few outstanding post-war German authors. Born in Cologne in 1917, the son of a sculptor, he became an apprentice to a bookseller. He served as a soldier in the Second World War. After 1947, his works were translated into most major languages, which gained him an international audience. Böll depicts a stark reality, a reality which "requires our active, not our passive, attention." Man must fix his moral responsibility in a context of chaos. It is not an easy task for Böll's primary targets. The smug bourgeois, a product of the post-war economic boom, and the habitual churchgoer live rigidly and with no genuine discharge of responsibility. Böll also criticizes society's automatons: the "blind" military officer, the policeman secure in his microcosm, and the manipulating politician. These stock characters provide the background for a conflict of decision between individual conscience and social morality.

Böll confirmed to me conversationally his reputation for championing the cause of the humble and the poor. He has no particular interest in the complacent bourgeois who, from his ordered universe, sits in judgment of the world but in ignorance of himself. Böll's heroes typically reject society's structures and search instead for an inner fabric, which comes occasionally like the penetration of a god into mundane consciousness.

In *Der Zug war pünktlich* (1949) and *Wo warst du Adam?* (1950), both set in World War II, Heinrich Böll poses a universal human madness. We learn that men were transported like freight into Poland and we feel a deep sympathy for their plight. His next novel, *Und sagte kein einziges Wort* (1953), confronts us with a family's misery in post-war Germany. The squalor of life in a one-room apartment and the despair of a man and a woman, who seem to have nothing, is resolved when they decide to share their loneliness and project it as love in their children. *Haus ohne Hüter* (1954) presents the misery of two fatherless children, whose mothers live in a past which is a husk of the war. The children grow up in a tormented world, whose only grace is the mutual understanding of two human beings.

Das Brot der frühen Jahre (1955) is Böll's first long love story. A mechanic tries to expiate an unhappy childhood with compulsive materialism. He is freed by a gesture of love in an alien world. *Billiard um halbzehn* (1959) uses flashbacks to tell the story of three generations of a German family. Over a period of fifty years, they were the architects, builders, destroyers, and finally the rebuilders of a cathedral.

Böll's short stories share both background and theme with his novels. Many of them, including "Doktor Murkes gesammeltes Schweigen," are quite satirical. In this story, the protagonist, who must listen to endless tapes in a radio station, methodically collects the mute ends of the tapes as a protest. The old aunt in "Nicht nur zur Weihnachtszeit" likes Christmas customs so much that she incorporates them into her daily life. And the "hero" of "Es wird etwas geschehen" insists that his employees greet him daily with the enthusiastic greeting "Something is going to happen!" Indeed it does; he suddenly collapses and dies.

Snobs, too, are targets for Böll. The intellectual snobs in "Im Lande der Rujuks" are experts in a language spoken only by two people. In "Hier ist Tibten" the job of a railway station manager, who is fluent in five languages and has two doctorates, is to announce simply "This is Tibten. You are at Tibten."

Life in Böll's short stories is always seen against gray clouds. Men dehumanized by custom are silently crushed by injustice. "Über die Brücke" is an analogue to the myth of Sisyphus. A man crosses a bridge at the same time every week. He is upset because each time he sees a woman cleaning a window. Ten years later, he sees the woman with a face like withered lettuce leaves, cleaning the same window. But she appears slightly younger, and it is indeed her daughter.

Böll has also written a number of radio plays, including *Mönch und Räuber* (1953), *Zum Tee bei Dr. Borsig* (1955), *Eine Stunde Aufenthalt* (1957), *Bilanz* (1957), *Die Spurlosen* (1957), and *Klopfzeichen* (1960).

Die Spurlosen shows the conscience of a man in conflict with a smug society. We are reminded again of the insanity of war when soldiers who destroy food sufficient for thousands of people must later steal in order to survive. A priest, who would help them, is torn between his conscience and his social role. Again, there is a moment of resolution and apotheosis.

The second play was selected both because of its similarity of theme and because it is a very good drama. Born in Munich in 1927, Leopold Ahlsen studied Germanic languages and literature, the theater, and philosophy at the local university. After some experience as an actor and stage director, he became an editor of the Bavarian radio station in Munich. His works include the dramas *Pflicht zur Sünde* (1952), *Zwischen den Ufern* (1952), *Wolfszeit* (1954), *Philemon und Baukis* (1956), and *Raskolnikoff* (1960); among his radio plays are *Michaelitag* (1949), *Philemon und Baukis* (1955), *Die Ballade vom halben Jahrhundert* (1960), and *Alle Macht der Erde* (1961).

Although Leopold Ahlsen was already well-known in Germany, it was the radio play *Philemon und Baukis* which won him international recognition. It was also for this work that he received the prize of the Blind War Veterans. The play is written in a vigorous tone. Again we feel the anguish of two conflicting loyalties. In the end, with both Ahlsen and Böll, we are resurrected into the "human condition," with all its unresolved ambiguities. We have nevertheless supplemented our understanding through the perspectives of two vital authors.

Contents

ix

Die Spurlosen

Heinrich Böll

Personen

Einbrecher	Kröner
	Toni
	Dr. Krum
	Frau Kröner (Marianne)
Priester	Brühl
	Pölzig
	Druven
Haushälterin	Frl. Trichahn
Kriminalbeamte	Kleffer
	Schwitzkowski

I

(*Geräusch eines schnell fahrenden Autos*)

KRÖNER. Es tut mir leid — aber wir müssen Sie gleich einer kleinen Unannehmlichkeit unterziehen.

BRÜHL. Noch einer?

KRÖNER. Haben wir Ihnen viele zugemutet? 5

BRÜHL (*lacht*). Ich weiß nicht, ob Sie es als sehr angenehm empfinden würden, wenn man Sie nachts herausklingelte,[1] Sie zu einem Todkranken bäte,[2] Ihnen dann, sobald Sie im Auto sitzen, eine Pistole in die Seite bohrte[3] und Sie aufforderte, kein überflüssiges Wort zu sprechen, 10 keine überflüssige Bewegung zu machen.

KRÖNER. Glauben Sie wirklich, wir würden schießen, wenn Sie unseren Anordnungen nicht folgen?

BRÜHL. Sie würden also nicht schießen?

KRÖNER. Natürlich nicht. Versuchen Sie, Ihre Phantasie 15 anzustrengen: Ein Auto fährt nachts gegen drei[4] durch leere Großstadtstraßen in raschem Tempo — das ist schon auffällig genug — und dann noch schießen! Nein, alle Unannehmlichkeiten, denen wir Sie unterziehen — das sind nur Vorsichtsmaßregeln, nicht unseretwegen, eher Ihret- 20 wegen. Wir wollen nur, daß Sie keine Mätzchen machen,[5] sich nicht wehren, mit uns kommen, das tun, was ein Priester mit einer Sterbenden tut — wenn alles gut geht, werden wir Sie in zwei Stunden wieder vor Ihrer Haustür absetzen. 25

BRÜHL. Ich nehme an, Sie lügen nicht. Eine Sterbende

1. **wenn man Sie nachts herausklingelte** if somebody were to ring your doorbell late at night
2. **Sie zu einem Todkranken bäte** were to ask you to visit a critically sick person
3. **eine Pistole in die Seite bohrte** were to jab a revolver into your ribs
4. **drei (Uhr)** three o'clock
5. **daß Sie keine Mätzchen machen** that you won't play any tricks

3

bedarf meiner? [6] Gut, was sollte Ihnen sonst an einem un-
bedeutenden Priester liegen. Wozu also die Pistole?

KRÖNER. Sie haben recht: Uns liegt nichts an Priestern,
nicht an Ihrer Person, nur an Ihrer Funktion — wir
5 brauchen einen Priester, (*leise*) brauchen ihn dringend.

BRÜHL. Und wie verfielen Sie ausgerechnet auf mich? [7]

KRÖNER. Sehr einfach: Es war eine Frage der Zeit, also
der Entfernung. Sie waren der, der am nächsten wohnte.

BRÜHL. Und doch fahren wir so lange.

10 KRÖNER. Ein kleines Täuschungsmanöver, das wir übrigens Ihnen zuliebe vollziehen. Je weniger Sie erfahren,
sehen, hören, von uns wissen, desto weniger werden Sie zu
verschweigen haben, falls Ihr kleiner Ausflug bekannt wird
und Sie verhört werden sollten. (*Auto nimmt eine scharfe
15 Kurve in hohem Tempo, danach K. weiter.*) Ich muß Sie nämlich
bitten, mit niemandem über unsere kleine Begegnung zu
sprechen. Sie müßten schweigen bis . . . nun, das kann ich
Ihnen erst sagen, wenn wir am Ziel sind.

BRÜHL. Würden Sie es nicht für besser halten, mich ganz
20 aufzuklären, anstatt mir vage Andeutungen zu machen?
Wenn ich um etwas gebeten werde, möchte ich gern genau
wissen, um was ich gebeten werde.

KRÖNER (*lacht*). Wie Sie wollen . . . obwohl ich es für
besser halte, Sie wissen möglichst wenig. Nun, daß wir
25 Grund haben, die Polizei nicht zum Kaffee einzuladen,
werde ich Ihnen nicht zu sagen brauchen — auch haben
wir keine Lust, von der Polizei zum Kaffee eingeladen zu
werden. Wir halten uns versteckt, wären schon über alle
Berge, [8] wenn nicht . . .

30 BRÜHL. Wir sind sicher bald am Ziel!

KRÖNER. Ja — und eben darum noch eine kleine Unannehmlichkeit: Ich muß Ihnen die Augen verbinden. Es

---

6. **bedarf meiner** needs me
7. **wie verfielen Sie ausgerechnet auf mich** how did you think of
me, of all people
8. **über alle Berge** out of reach, far away

klingt altmodisch, vielleicht sogar lächerlich — ich weiß nicht, wieviel Kriminalromane Sie gelesen haben, aber glauben Sie mir: Es ist das beste und einfachste Mittel, jemanden daran zu hindern, daß er den Weg erkennt. Ich wäre Ihnen dankbar, wenn Sie auch diese Zeremonie über sich ergehen ließen, ohne Lärm zu machen, ohne sich zu wehren; es würde uns Zeit sparen, kostbare Zeit. Sie wissen, daß eine Todkranke auf Sie wartet.

BRÜHL. Ich bin gezwungen, Ihnen zu glauben.

(*Das Auto hält an*)

KRÖNER. Außerdem bitte ich Sie, nach hinten umzusteigen und den Kopf unterhalb der Lehnen zu halten: Es könnte Autofahrern, die uns begegnen, allzu merkwürdig erscheinen, einen Priester mit einem schwarzen Frauenstrumpf über dem Kopf in ihrem Scheinwerfer zu sehen.

TONI. Kommen Sie getrost nach hinten; ich werde mir erlauben, die Haltung Ihres Kopfes ein wenig zu kontrollieren.

KRÖNER. Fertig?

TONI. Fahr los.

(*Auto fährt mit höherer Geschwindigkeit eine scharf genommene Kurve, noch eine*)

BRÜHL (*lachend*). Nun fahren Sie ein wenig im Kreis — ich muß Sie darauf aufmerksam machen, daß ich einen ausgezeichneten Orientierungssinn besitze: Wir fahren jetzt zum Beispiel gerade in die Simrockstraße,[9] rechts sehen Sie ein großes, rotes Backsteingebäude, eine Schule — jetzt fahren wir in die . . .

KRÖNER (*scharf*). Ich bitte Sie in Ihrem eigenen Interesse, Ihren Orientierungssinn auszuschalten. Ich habe die rote Schule gesehen — aber entwickeln Sie nicht mehr Sportsgeist als Ihrer Lage angemessen ist.[10] Ich nehme an, es gehört zu Ihren Pflichten, Sterbenden den Trost zu spen-

9. **Simrockstraße** *name of street*
10. **entwickeln Sie nicht mehr Sportsgeist als Ihrer Lage angemessen ist** do not take it lighter than befits your situation

den, den diese erwarten — denken Sie an nichts anderes
als an diese Pflicht. (*Scharf genommene Kurve*) Hören Sie?
Haben Sie gehört?

BRÜHL. Ich habe gehört.

5   KRÖNER. Löschen Sie den Stadtplan, den Sie offenbar
im Kopf haben, aus — und geben Sie sich keiner Täuschung
hin. Ich glaube weder an Priester noch an deren Funk-
tionen, noch an das, was sie verkünden. Indem ich mich
der Gefahr aussetze, Sie zu holen, indem ich unser Versteck
10   verlasse und alles aufs Spiel setze,[11] unsere Sicherheit und
unsere Beute — (*Wilde Kurve, danach K. weiter*) Indem ich
das alles tue, erfülle ich nur ein Versprechen,[12] das ich
jemandem gab, den ich liebe. Die, für die ich Sie hole, hat
mich um Ihre Gegenwart gebeten, nicht um Schonung für
15   Sie — damit das Versprechen aber wirklich erfüllt wird,
noch eine Frage: Sind Sie mit allem ausgerüstet, was eine
Sterbende, die die Tröstung Ihrer Religion verlangt,
braucht? Ich meine . . .

BRÜHL. Sie meinen die Sakramente? Ja, ich bin aus-
20   gerüstet: Werden wir bald am Ziel sein?

KRÖNER. Geduld. Ich dachte, die gehöre zu Ihrem Beruf?
Ich mache nicht einen einzigen Umweg, der nicht notwendig wäre — schon um derer willen, die auf Sie wartet. Falls
Sie nervös sein sollten, lassen Sie sich von Tonis Pistole nicht
25   allzu sehr beunruhigen; er hat erst einmal ernsthaft geschossen und dieses eine Mal auf eine Glühbirne im Schalterraum einer Bank.[13] Allerdings hat er die Glühbirne aus
dreißig Meter Entfernung getroffen. Sie sind nervös?

BRÜHL. Sie sollten sich die Mühe machen, Ihre Phantasie
30   anzustrengen. Versetzen Sie sich in meine Lage![14] Würden

11. **alles auf (da)s Spiel setzen** risk everything
12. **ein Versprechen erfüllen** fulfill a promise
13. **Schalterraum einer Bank** main part of a bank (where the tellers
are)
14. **Versetzen Sie sich in meine Lage!** Put yourself in my position!

Sie in meiner Lage nicht nervös sein?

KRÖNER. Ich strenge meine Phantasie an: Das gehört zu meinem Beruf, aber meine Phantasie arbeitet logisch, sie würde mir, wäre ich an Ihrer Stelle, sagen: Sie brauchen mich, brauchen mich dringend — also haben Sie keinen 5 Grund zur Beunruhigung. Die Pistole ist nur ein Requisit.

BRÜHL. Aber ein geladenes?

KRÖNER. Nein. Glauben Sie im Ernst, wir würden mit einer geladenen Pistole so lange an Ihrer Seite herumbohren? Da könnte ja tatsächlich ein Schuß losgehen.[15] 10

BRÜHL. Dann möchte ich Sie doch bitten, Ihrem — Ihrem Freund hier zu sagen, daß er die Pistole wegsteckt. Ich verspreche Ihnen, ruhig zu bleiben.

KRÖNER. Gut — also. Toni, steck das Ding weg. Übrigens werden wir bald am Ziel sein. Ich hoffe, Sie haben 15 den Stadtplan inzwischen aus Ihrem Gedächtnis ausgelöscht.

BRÜHL. Ich versuche es, aber es gelingt mir nicht.

(*Geräusch des fahrenden Autos entfernt sich*)

II

(*In Brühls Wohnung*) 20

DRUVEN. Die Kapsel ist nicht zu finden, das Öl nicht — seine Stola ist weg.

PÖLZIG. Also ist er doch zu einem Versehgang.[16]

DRUVEN. Vormittags um elf noch nicht von einem Versehgang zurück? Er hätte anrufen können, er hätte eine 25 Notiz hinterlassen können, er hätte, hätte, hätte — Nein, glauben Sie mir: Da steckt etwas anderes dahinter.[17] Viel-

15. (es) könnte ein Schuß losgehen a shot could go off
16. Versehgang journey to administer extreme unction
17. Da steckt etwas anderes dahinter. Something else is behind that.

leicht wäre es doch vernünftiger, die Polizei zu verständigen.

PÖLZIG. Langsam — warten Sie. Nur nicht so hastig mit der Polizei. Nur nicht gleich etwas Offizielles aus etwas
5 machen, das vielleicht ganz privat ist.

DRUVEN. Aber es ist doch ganz eindeutig, daß er zu einem Sterbenden gerufen wurde — und nicht zurückkehrte. Meine Nachforschungen haben ergeben, daß er nicht innerhalb der Pfarre gerufen wurde.

10 PÖLZIG. Stimmt — ist alles richtig, alles logisch, lieber Druven; sieht nach einer Falle aus; man ruft einen Priester zu einem Sterbenden, überfällt ihn, plündert ihn aus, und kein barmherziger Samariter[18] findet ihn. Trotzdem: Ich neige immer dazu, die Ursachen für solche Zwischenfälle
15 im Inneren, nicht im Äußeren zu suchen.

DRUVEN. In Brühl selbst? Ach, Sie kennen ihn doch, er ist so zuverlässig und korrekt, und dabei gar nicht stur. Ich glaube nicht, daß in seinem Inneren die Ursache für einen solchen Zwischenfall zu suchen ist. Ich bin sicher, daß er
20 in Gefahr ist und daß man die Polizei verständigen sollte.

PÖLZIG. Ich kannte einen Priester, der zuverlässig, korrekt und dabei gar nicht stur war — und der plötzlich auf die billigsten Tricks einer nicht einmal sehr reizvollen Frau hereinfiel.[19] Mit Fünfzig machte er plötzlich Dummheiten,[20]
25 derer sich ein Sechzehnjähriger schämen würde. Was mich daran erschreckte: Dreißig Lebensjahre geleugnet, ausgelöscht — und so endgültig ausgelöscht, um fünfzehn weitere Lebensjahre nichts weiter zu sein, als ein dummer kleiner Lüstling. Wollen Sie mehr Fälle hören, andere? Geld als
30 Ursache? Eitelkeit als Ursache? Lüge als Ursache? Ach, da hat die Polizei nichts zu suchen.

---

18. **barmherziger Samariter** good Samaritan
19. **hereinfallen** fall for
20. **Dummheiten machen** commit follies

DRUVEN. Aber Sie sprechen so, als ob Sie sicher seien, Brühl habe . . .

PÖLZIG. Ich bin nicht sicher, nicht im Geringsten — im Gegenteil: fast glaube ich, daß Sie recht haben. (*Leiser*) Hören Sie Druven: Sie mögen mich für einen Skeptiker, 5 einen Zyniker halten — mag sein, daß ich von beiden etwas habe, aber im Grunde ist es nur meine Angst vor weiteren Enttäuschungen, die mich immer gleich das Schlimmste annehmen läßt — es mag Ihnen entsetzlich klingen: es geschieht selten, daß man einen Priester beraubt, um mit dem 10 Sakrament gräßliche Riten zu feiern[21] — aber die Leute, die diese Riten feierten, g l a u b t e n an das Sakrament . . . wenn Sie zu wählen hätten zwischen dem Unglauben, für den das Sakrament nichts weiter ist als eine belanglose Oblate und dieser Art Glauben: was würden 15 Sie wählen? (*Kleine Pause*) Sie schweigen. Jedenfalls: lassen wir vorläufig die Polizei. (*Es klopft an die Tür*) Ja, bitte?

FRL. TRICHAHN (*öffnet die Tür*). Ein Herr möchte den Herrn Pfarrer sprechen. Er sagt, es ist dringend. Ein Herr von der Polizei. 20

PÖLZIG. Polizei? Was soll — was . . .

DRUVEN. Sie sehen, die Polizei findet uns, wenn wir nicht zu ihr finden.

PÖLZIG. Lassen Sie den Herrn reinkommen.[22] (*Leiser, während man draußen Schritte hört*) Merkwürdig, vielleicht ist 25 es ganz etwas anderes.

KLEFFER (*schließt die Tür hinter sich*). Verzeihen Sie,[23] mein Name ist Kleffer.

DRUVEN. Pfarrer Druven — das ist Prälat Pölzig.

KLEFFER. Angenehm. Ich — Sie verzeihen, daß ich keine 30 Zeit verlieren möchte und gleich anfange — ich nehme an,

21. **Riten feiern** celebrate rites
22. **(he)reinkommen** come in
23. **Verzeihen Sie** Excuse me

es ist auch Ihnen aufgefallen, daß Herr Kaplan Brühl —
na, sagen wir: vermißt wird?

DRUVEN. Allerdings. Wir sprachen gerade darüber und
versuchten, es uns zu erklären — bringen Sie die Auf-
5 klärung?

KLEFFER. Leider nicht. Ich weiß nur, daß er diese Nacht
gegen 3 Uhr in einem schwarzen Batschari[24] abgeholt
wurde.

PÖLZIG. Genau das wußten wir auch, von der Haushäl-
10 terin — nur wußten wir nicht, daß das Auto ein Batschari
war. Wissen Sie mehr als das?

KLEFFER. Leider nein. Wissen Sie etwas?

DRUVEN. Nein — wir fanden alle die Geräte und Gegen-
stände nicht, die ein Priester zu einem Versehgang braucht.
15 Aber Versehgänge dauern selten von 3 Uhr nachts bis 11
Uhr vormittags.

KLEFFER. Es ist sicher, daß diese Geräte und Gegen-
stände fehlen?

PÖLZIG. Ja, ganz sicher — auch muß er schnell abberu-
20 fen worden sein, denn er hat weder Hut noch Mantel mit.
Was können Sie uns erzählen?

KLEFFER. Daß diese Nacht um 2 Uhr in der Centralbank
ein Tresor aufgeknackt worden ist, mit Erfolg und ohne
daß die Täter geschnappt oder auch nur überrascht wur-
25 den. Sozusagen das, was wir ein Meisterstück nennen, eine
Arbeit, die mindestens vier Monate lang aufs Präziseste
geplant und vorbereitet worden sein muß. Gold im Werte
von 180 000 Mark wurde gestohlen. Um halb zwei wurde
in einer Nebenstraße, nicht weit von der Bank entfernt,
30 ein schwarzer Batschari gesehen — parkte da bis viertel
nach zwei.

DRUVEN. Ein Batschari? Das ist doch ein ziemlich auf-
fälliger Wagen. Ich verstehe nicht, daß . . .

24. **Batschari** *make of automobile*

KLEFFER. Sie werden verstehen, wenn Sie wissen, daß es
der Batschari des Bonbonfabrikanten[25] Huffkott war.
Diesen Wagen kennt jedes Kind, kennt jeder Polizist. Und
dieser Wagen parkt fast jede Nacht von 12 bis gegen 2 Uhr
in der Nähe der Centralbank, weil Herr Huffkott die An- 5
gewohnheit hat, jeden Abend im „Kolibri"[26] einen Cocktail
zu trinken. Das Auffällige ist oft die beste Tarnung.

PÖLZIG. Und Herr Huffkott?

KLEFFER. War, was sehr selten geschieht, an diesem Tage
ohne seinen Wagen unterwegs — als er heute morgen nach 10
Hause kam, stand sein Auto wieder in der Garage. Sicher
haben die Räuber erst ihre Beute sichergestellt, sind dann
zurückgefahren und haben den Priester geholt, als Komplize, oder . . .

DRUVEN. Ich bitte Sie! 15

KLEFFER. Ich hoffe, daß meine rein theoretischen Erwä-
gungen nichts Kränkendes enthalten. Ich muß mit der
Möglichkeit rechnen, daß es Priester gibt, die zu Komplizen
von Bankräubern werden, mit der Möglichkeit, nicht mit
der Wahrscheinlichkeit. 20

PÖLZIG (lacht). Sagen Sie nur, daß es zu den Gewohn-
heiten der Bande gehört, Priester zu ihren Komplizen zu
machen.

KLEFFER. Tatsächlich hat die Bande außergewöhnliche
Praktiken: sie taucht nur alle drei, vier Jahre auf, macht 25
einen gut vorbereiteten Fischzug und verschwindet spurlos,
aber wirklich spurlos: man weiß nicht einmal, wie die Einzelnen[27] aussehen, noch nie hat man ein Mitglied geschnappt. — Den ersten Einbruch verübte sie 1947 in
Stockholm, den zweiten 1951 in Berlin, den dritten 1956 30
in London, und jedesmal, jedesmal verschwand nach dem
Auftreten der Bande eine Person, von der man annehmen

25. **Bonbonfabrikant** manufacturer of candy
26. **„Kolibri"** (lit. hummingbird) name of bar
27. **die Einzelnen** the individual members

mußte, sie habe in jahrelanger Arbeit[28] das Terrain vorbereitet. In London war es ein Kirchenrendant[29] — man
fand seine Abrechnung in Ordnung, kein Penny fehlte —
nur hatte er jahrelang ein Konto bei der Bank unterhal-
5 ten,[30] in der später eingebrochen wurde. In Berlin war es . . .

DRUVEN. Gut. Das bedeutet, daß Sie die Wohnung von
Kaplan Brühl untersuchen müssen.

KLEFFER. Allerdings.

PÖLZIG. Nun, wir hindern Sie nicht daran — hindert un-
10 sere Gegenwart Sie?

KLEFFER. Nein, im Gegenteil, es ist mir lieber, wenn
Zeugen anwesend sind. (*Öffnet die Tür und ruft:*) Schwitzkowski, fangen Sie an. (*Schritte, Schranktüren werden geöffnet,
Schubladen herausgezogen, Fächer entleert, während das Gespräch
15 weitergeht*)

DRUVEN. Fehlt nur, daß Brühl wirklich ein Konto bei
der Centralbank unterhielt.

SCHWITZKOWSKI. Ich kann Sie beruhigen. Hier sind die
Kontoauszüge: alle von der Sparkasse. (*Das Suchen geht
20 weiter*)

KLEFFER. Ich bin sicher, daß wir nichts finden — es ist
eine Routinesache, aber ich muß sie leider durchführen.
Sind Sie sicher, daß alle Geräte fehlen, die ein Priester zu
einem Versehgang braucht?

25 DRUVEN. Absolut sicher. Übrigens, falls Ihnen daran liegen sollte, Auskunft über Kaplan Brühl zu erhalten: ich
bin bereit, Ihnen diese zu geben: privat, was sich offiziell
bestätigen würde. Er war . . .

KLEFFER. Ich weiß: einundvierzig Jahre alt, geboren
30 1916, Sohn eines Notars, Abitur[31] 1934, Priesterweihe 1940;

---

28. **jahrelange Arbeit** work for several years
29. **Kirchenrendant** church treasurer
30. **ein Konto unterhalten** maintain an account
31. **Abitur** graduating examination of the highest-ranking German
secondary schools

dann im Reservelazarett[32] Osnabrück als Sanitätsgefreiter, als Sanitätsunteroffizier, Sanitätsfeldwebel[33] — sechs Monate amerikanische Gefangenschaft; von 1946 bis 1950 Kaplan in Essen, seit 1950 hier. Keine Vorstrafe[34] . . .

PÖLZIG. Kein polizeilich registrierter Makel an ihm. 5

KLEFFER. Vielleicht ein privater?

DRUVEN. Ich würde sofort meine Hand dafür ins Feuer legen,[35] daß Brühl nichts, gar nichts mit dieser Sache zu tun hat.

KLEFFER. Und Sie, Herr Prälat? 10

PÖLZIG. Ich kannte ihn weniger — ich . . . (schweigt)

KLEFFER. Sie zögern?

PÖLZIG. Ja, ich zögere, nicht weil ich Brühl mißtraue — ich zögere grundsätzlich — ich, wissen Sie, den Glauben eines Menschen kann man nicht sehen, nie. Nie haben Sie 15 Sicherheit: oft finden Sie den Glauben bei den kompliziertesten, nachdenklichen Menschen in der einfachsten Form, ganz selbstverständlich[36] — und einfache, wenig komplizierte Menschen können auf eine erschreckende Weise ungläubig sein, obwohl sie die Routine der Gläubigkeit bei- 20 behalten.

DRUVEN. Ich bin sicher, daß Brühl das Opfer eines Verbrechens geworden ist — vielleicht ging es nur um seine Kleidung, die man zur Flucht brauchte. Sie werden sehen.

KLEFFER. Ich neige zu Ihrer Ansicht, was nicht aus- 25 schließt, daß ich zunächst Brühls Verstrickung annehmen muß:[37] das Mitnehmen der Geräte kann auch von i h m

32. **Reservelazarett** field dressing station for the reserves
33. **Sanitätsgefreiter, Sanitätsunteroffizier, Sanitätsfeldwebel** private first class, corporal, sergeant in the Army Medical Corps
34. **Keine Vorstrafe** No previous conviction
35. **Ich würde sofort meine Hand dafür ins Feuer legen** I'd vouch for that right away
36. **ganz selbstverständlich** it seems a matter of course
37. **daß ich zunächst Brühls Verstrickung annehmen muß** that I have to assume for the time being that Brühl is entangled in it

eine Täuschung sein.

DRUVEN. Mag sein, daß Ihr Amt Sie zur Skepsis ver-
pflichtet — ich, ich kenne Brühl seit sechs Jahren — ich —
(*zögert erst, dann weiter*) ich glaube, ich könnte es nicht er-
5 tragen, wenn sich herausstellte, daß Ihre Skepsis berechtigt
gewesen wäre.

PÖLZIG. Vielleicht liegt unser Irrtum darin, daß wir
nicht annehmen wollen, daß Leute, die wir Verbrecher
nennen, nicht g l a u b e n können . . . vielleicht . . .
10 DRUVEN (*heftig*). Nein, nein, ich weiß, daß die, die wir
Verbrecher nennen, glauben können. Ich weiß es. Aber
Brühl . . . er kann meinetwegen alles sein, nur kein Heuchler
— das wäre er, wenn er sechs Jahre hier gelebt, sein Amt
ausgeübt und nebenbei einen Bankeinbruch vorbereitet
15 hätte. Sagen Sie, mir scheint, es gibt eine Lücke in Ihrem
Bericht: finden Sie es nicht recht kühn von diesem Burschen,
mit einem immerhin auffälligen Wagen wie einem Batschari
eine Stunde n a c h dem Einbruch durch die Stadt zu
rasen, um einen Priester zu holen?
20 KLEFFER. Sie haben recht; es ist eine Unverschämtheit,
die nur einen Schluß zuläßt: Die Burschen müssen in einer
verzweifelten Situation gewesen sein. Mit dem kleinen Ausflug hierhin haben Sie den Erfolg ihres Einbruchs aufs Spiel
gesetzt, haben sich in Gefahr begeben, ihre Anonymität
25 preiszugeben. Es muß etwas außerordentlich Dringendes
gewesen sein — und so sehr ich auch nachdenke, ich finde
nichts, es fällt mir nichts ein, außer, daß sie Brühl eben
mitnehmen wollten.

DRUVEN. Vielleicht denken Sie zu wenig an das Nächst-
30 liegende: daß man einfach einen Priester brauchte für
einen Sterbenden.

KLEFFER. Glauben Sie im Ernst,[38] daß es eine Ein-
brecherbande gibt, die ihre Beute — 180 000 Mark, die

38. **im Ernst** in earnest

zehn Jahre Zuchthaus aufs Spiel setzt, um einem ihrer Bandenmitglieder die Sterbesakramente spenden[39] zu lassen?

PÖLZIG. Da Sie mit a l l e n Möglichkeiten rechnen — mit der für Pfarrer Druven unannehmbaren, daß Brühl ein 5 Heuchler ist, ein Verbrecher, der sechs Jahre lang hier den Geistlichen spielte, um den Einbruch vorzubereiten — da Sie mit a l l e m rechnen, müssen Sie auch damit rechnen.

KLEFFER. Ich rechne damit, daß wir von den Spurlosen 10 wie von Kaplan Brühl nie mehr etwas sehen, nie mehr etwas hören — ich glaube nicht, daß ausgerechnet ich das Glück haben soll, eine Bande zu schnappen, die dreimal entwischt ist, ohne die geringste Spur zu hinterlassen.

DRUVEN. Sie glauben nicht, daß wir Brühl jemals wieder- 15 sehen?

KLEFFER. Es würde mich sehr überraschen.

DRUVEN. Ich hoffe, Sie sind noch zu überraschen.

KLEFFER. Ich habe wenig angenehme Überraschungen erlebt — und verzeihen Sie, ich muß jetzt gehen. Sie ver- 20 stehen, daß ich jemand in der Wohnung postieren[40] muß: das Telefon muß überwacht, jeder Hinweis beachtet werden.

PÖLZIG. Selbstverständlich. Wir verstehen.

III

(*Bei Kleffer*) 25

KLEFFER. Ich kann Ihnen nichts sagen — Sie verstehen wohl, in diesem Stadium.

DRUVEN. Sie wissen auch nicht, ob er noch lebt?

KLEFFER. Noch nie hat diese Bande jemanden ermordet,

---

39. **die Sterbesakramente spenden** administer the last sacraments
40. **postieren** post (a sentry)

noch nie. Er lebt, er lebt bestimmt noch — nur möchte ich wissen, wo.

DRUVEN. Sie wissen es nicht?

KLEFFER. Ich weiß es nicht, und wenn ich es wüßte, 5 dürfte ich es Ihnen nicht sagen. Warum kommen Sie zu mir? Haben Sie Zweifel bekommen?

DRUVEN (*leise*). Nein, Angst. Nicht Angst um sein Leben, Angst vor einer Enttäuschung. Ich würde nicht darüber hinwegkommen, wenn . . .

10 KLEFFER. Also doch Zweifel?

DRUVEN. Vielleicht. Zwei Tage . . . immer wieder habe ich über alles nachgedacht, immer wieder. Es ist mir erst klar geworden, wie sehr ich an ihm hänge;[41] es gibt den Trost der Paradoxie, den atemlosen Trost des Grenzfalles 15 — er, er war für mich das andere: der Trost der Gradlinigkeit . . . ich könnte es nicht ertragen. (*heftiger*) Wenn Sie irgend etwas wissen: sagen Sie es mir.

KLEFFER. Ich würde Ihnen sagen: ich weiß, daß er unschuldig ist — ich würde Ihnen sagen: ich weiß, daß er 20 schuldig ist, aber ich weiß weder das eine noch das andere, und ich glaube nicht, daß ich es jemals wissen werde.

DRUVEN. Freuen Sie sich, wenn jemand schuldig ist oder freuen Sie sich, wenn jemand unschuldig ist?

KLEFFER. Wie meinen Sie das?

25 DRUVEN. Überwiegt das Interesse, jeweils den Fall zu klären, oder ihn für geklärt zu halten, die Gleichung zu lösen — oder gibt es noch den Wunsch, jemandes Unschuld genau so lückenlos zu beweisen wie jemandes Schuld?

KLEFFER. Leider ist weder die Unschuld noch die Schuld 30 jeweils so lückenlos zu finden — hören Sie, am Tage nach dem Einbruch zog ein Ausländer, der zwei Jahre lang ein kleines Häuschen hier gemietet hatte, plötzlich weg nach Frankfurt. Er konnte seinen Wegzug nicht genügend moti-

41. **wie sehr ich an ihm hänge** how much I am attached to him

vieren, konnte auch kaum nachweisen, woher er sein Geld
hatte — wir konnten ihm nicht beweisen, daß er an dem
Einbruch beteiligt war. Aber für mich wird er solange verdächtig bleiben, bis der Schuldige oder die Schuldigen gefunden werden.　　　　　　　　　　　　　　　　　　5

DRUVEN. Ich habe darüber gelesen. Ein Italiener, nicht
wahr? Crometti?

KLEFFER. Ja, so hieß er. Sie wissen den Namen?

DRUVEN. Ich lese jede Zeile, die über den Fall geschrieben wird . . . Crometti, ein Italiener mit Frau, zwei Kindern　10
und viel Geld — das klingt so schön verdächtig. Ein Mann
beschließt plötzlich, seinen Wohnsitz zu verlegen,[42] um
ihn den Titelblättern der Zeitungen auszuliefern. Unrasiert
war er, als man ihn photographierte, im Schlafanzug, Millionen sahen sein Bild — und Hunderttausende halten ihn　15
für den Täter — oder für den Hehler. Hunderttausende
halten auch Brühl für einen Hehler, vielleicht, weil sein
Photo so korrekt aussah. Er war rasiert, mit sauberem Kragen, mit diesem gläubigen, etwas traurigen Blick, wie junge
Priester ihn haben. Verdächtig, verdächtig — rasiert oder　20
unrasiert, beides kann dazu beitragen, den Verdacht zu
stärken.

KLEFFER (*freundlich*). Werden Sie nicht bitter, Herr
Pfarrer — was sollen wir tun?

DRUVEN. Was Sie tun sollen? Ich weiß, was ich tun　25
würde: annehmen, daß man ihn zu einem Sterbenden
holte. Warum sollte nicht einer der Räuber plötzlich er-
krankt sein und nach einem Priester verlangt haben?
Warum nicht?

KLEFFER. Mag sein, daß sowas vorkommt, daß jemand　30
nach einem Priester verlangt. Aber g e h o l t würde er
nicht, nicht in dieser Situation, wo jede Minute kostbar
war.

42. **seinen Wohnsitz zu verlegen** to change his domicile

DRUVEN. Viellcicht waren die Minuten gar nicht[43] so kostbar. Einen Kranken hätten sie ja weder mitnehmen noch allein zurücklassen können. Das wäre nicht Barmherzigkeit, sondern eine Notwendigkeit gewesen.

5   KLEFFER (*freundlich*). Ihr Scharfsinn in Ehren:[44] ich habe auch diese Möglichkeit einkalkuliert, weil es die einzige Voraussetzung dafür wäre, daß sie noch in der Stadt sind.

DRUVEN. Und sind sie noch in der Stadt?

KLEFFER. Ich weiß es nicht. Nicht eine einzige Spur.
10 Wahrscheinlich ist — wenn die Voraussetzung, daß einer schwer erkrankte, stimmt — daß einige mit der Beute weg sind und andere noch hier hocken,[45] bei dem Kranken oder Verletzten. Das wiederum würde bedingen, daß sie miteinander in Verbindung stehen, durch Funk, durch Briefe,
15 Telefon. (*seufzt*) Wissen Sie, was das bedeutet? Daß wir in jedes Gespräch aus dem Ausland hineinhören — jeden Brief, jede Postkarte kontrollieren müßten . . . Ein junger Mann schreibt einem jungen Mädchen hier eine Postkarte aus Glasgow: schon wird er verdächtig. Harmlose Worte
20 werden höchst fragwürdig: „Habe eine schöne Reise gehabt, und alles ist in Ordnung. Hoffe, dich bald wiederzusehen." Das kann a l l e s bedeuten —. (*seufzt*) In einem Ferngespräch aus New York wird über sieben Sack Soda verhandelt — v e r d ä c h t i g. Ein anderer empfängt
25 postlagernd eine Ansichtskarte aus einem Wallfahrtsort in Irland: „Empfehlen euch dringend der Mutter Gottes und erwarten euch sehnsüchtig." Verdächtig.

DRUVEN. Ein Wallfahrtsort in Irland?

KLEFFER. Ja. Knock . . . Kennen Sie jemand dort, oder
30 jemanden, der dorthin gefahren ist?

DRUVEN. Nein — aber es ist so merkwürdig.

KLEFFER. Hier haben Sie eine Photokopie der Ansichtskarte: blauer Himmel, weiße Wolken, eine Kapelle mit

---

43. **gar nicht** not at all
44. **in Ehren** with due respect to
45. **hocken** (*sl.*) stay

gläsernen Wänden, Tannen im Hintergrund. — Und hier
der Text. (*lacht*) Nein, nein, es ist nicht Brühls Schrift.

DRUVEN. Warum lachen Sie, wenn ich nach Spuren von
ihm suche? Warum lachen Sie?

KLEFFER. Verzeihung, ich wollte Ihnen nicht weh tun.   5

DRUVEN. Weh tun? Sie können nicht ahnen, wieviel für
mich von der Frage abhängt, ob Brühl . . .

KLEFFER. Ich dachte, Ihr Leben sei auf Gott gerichtet
und von Gott bestimmt.

DRUVEN (*leise*). Würde das bedeuten, daß die Menschen   10
fallen und aufstehen, schlecht und gut sind, ohne eine Spur
in mir zu hinterlassen? (*heftiger*) Daß sie kommen und
gehen, wie Wolken, die Regen bringen oder Schönwetter,
(*wütend*) wie Hühner, die Eier legen und die man schlachtet
wenn sie weniger Eier legen? Brühl ist ein guter Mensch,   15
verstehen Sie, was das bedeutet? Ein guter Mensch. Er
könnte sich plötzlich verlieben, er könnte meinetwegen
Geld stehlen, plötzlich — aber daß er sechs Jahre neben
mir lebte — Sie rechnen doch nicht im Ernst damit, daß
er in die Sache verstrickt ist?   20

KLEFFER. Ich rechnete erst damit, daß es um die Kleidung ging. Aber die Priesterkleidung war sechs Stunden
nach Brühls Verschwinden wertlos, sie war geradezu be-
lastend, denn noch nie sind Leute in Priesterkleidung so
genau untersucht worden, wie seit Brühls Verschwinden.   25
Außerdem braucht man nicht einen Priester zu entführen,
um Priesterkleidung zu bekommen. Mir bleibt nur die eine
Möglichkeit . . .

DRUVEN. Zu glauben, daß er . . . ?

KLEFFER. Ja.   30

DRUVEN. Sie haben ihn nicht gekannt, nie gesehen —
Sie sehen ein Photo, eine Wohnung, Kontoauszüge, Briefe,
den Menschen kennen Sie nicht.

KLEFFER. Den Menschen? Es verwundert mich, weil ich
dachte, Gott . . .   35

DRUVEN (*leise*). Es gibt nur wenige Menschen, die von Gott allein und mit Gott allein auf dieser Welt leben können. Ich, ich kann es nicht. Nie habe ich begreifen können, daß die Binsenwahrheit[46] „Wir sind doch alle Menschen"
5 auch nur den geringsten Trost bieten konnte. Daß wir Menschen sind, wußte ich immer, aber manchmal entdeckte ich etwas mehr.

KLEFFER. Und von diesem „etwas mehr" leben Sie?

DRUVEN. Ja . . . ja, davon lebe ich. Es ist sehr wenig,
10 dieses „etwas mehr" . . . Ich sah sein Gesicht in allen Zeitungen, millionenfach ist es verdächtigt und verhöhnt worden, nur, weil er ging, als man nach ihm verlangte.

KLEFFER. Sie haben also keine Zweifel mehr?

DRUVEN (*leise*). Ich weiß nicht, ob ich je welche hatte . . .
15 aber halten Sie es für so selbstverständlich, daß man auf der Rasierklinge der Paradoxie herumtänzelt, ohne sich nach Gefährten umzusehen, die einem ein wenig Halt geben?

KLEFFER. Sollte ich der Gefährte sein?

DRUVEN. Vielleicht.
20 KLEFFER. Sie fanden keinen besseren?

DRUVEN (*leise*). Nein — vielleicht verlangt mich danach,[47] gerade Sie zum Gefährten zu haben. Ist Ihnen wohl dabei,[48] wenn Sie die Gesichter der Verdächtigen auf den Titelblättern der Zeitungen sehen: rasiert, unrasiert — diesem Mo-
25 loch[49] ausgeliefert, der Blut verlangt, Blut, das kostbarer ist als 180 000 Mark? Sie sagen, die Bande, nach der Sie suchen, hat noch nie Blut vergossen?[50]

KLEFFER. Noch nie.

DRUVEN. Ich fange an, diese Leute zu mögen.
30 KLEFFER. Vielleicht möchten Sie sich nur einreden, daß

46. **Binsenwahrheit** truism
47. **mich verlangt danach** I crave to
48. **Ist Ihnen wohl dabei** Are you feeling at ease
49. **Moloch** (*lit.* pagan god) monstrous society
50. **Blut vergießen** shed blood, kill anyone

Brühl, selbst wenn er zu ihnen gehörte, gar keine Enttäuschung wäre? Wie? (*lacht*) Vielleicht wollen Sie die Hoffnung nicht preisgeben und suchen ihr, dieser leichten und
zarten Blüte, einen Platz — vielleicht auf der Rasierklinge
der Paradoxie. Aber auf dieser Messerschneide ist kein Platz   5
für Muttererde, nicht einmal für jenes Minimum, das die
zähe kleine Pflanze braucht. Deshalb fangen Sie an, die
Leute zu mögen, Herr Pfarrer: weil die Hoffnung so zäh ist.

DRUVEN. Ja, die Hoffnung ist zäh — die Verzweiflung ist
weicher und gefährlicher. Sie schleicht, sie ist süß. (*leise*)   10
Sie können mir nicht helfen?

KLEFFER. Nein.

DRUVEN. Aber Sie würden mir versprechen, mich zu
verständigen, wenn Sie etwas wissen?

KLEFFER. Auch, wenn etwas ist, das Ihrer Verzweiflung   15
Nahrung gibt?

DRUVEN. Auch dann. Ich will es wissen.

KLEFFER (*leise*). Und Ihr Gott, Herr Pfarrer — an den ich
übrigens nicht glaube — wird Ihr Gott mit diesem Menschen sterben?   20

DRUVEN. Vielleicht ja. Ich weiß nicht. (*müde*) Rufen Sie
mich an.

IV

(*Entfernt das Geräusch hin- und herfahrender Loren. Geräusch
eines arbeitenden Baggers*)

DR. KRUM. Glaub mir, ich würde dir sagen, wenn es ir-   25
gend etwas gäbe, das ein anderer Arzt hätte besser machen
können als ich. Es gibt kein besseres Medikament als das,
was ich seit zwei Tagen injiziere. Es muß sich bald entscheiden, ob wir wegkönnen.

KRÖNER. Du würdest mir auch sagen, wenn es besser für   30
sie wäre, in ein Krankenhaus zu gehen?

KRUM. Ich würde es dir sagen. Glaub mir, es kann im Augenblick nichts Besseres mit ihr geschehen als was hier geschieht. Objektiv ist sie reisefähig — es kommt jetzt nur darauf an, wie sie sich fühlt.

5   KRÖNER. Wir müssen weg, wir müssen raus.[51] Wo[52] du hinkommst, reden sie über den verschwundenen und entführten Priester. In jeder Zeitung sein Bild . . . jeder würde ihn sofort erkennen.

KRUM. Du hättest zum hiesigen Pfarrer gehen sollen, ihn
10   holen. Immerhin habt ihr zwei Monate hier gelebt, die Leute kennen euch, kennen mich seit Jahren. Es wäre nicht aufgefallen.

KRÖNER. Ich weiß, aber ich hatte Angst, daß Marianne reden würde, und den hiesigen Pfarrer hätten wir un-
15   möglich innerhalb seiner Pfarre zwei Tage lang einsperren können. Dieser hier ist sanft wie ein Lamm. Ich wünsche nur, ich könnte ihn loswerden — aber er wird reden, er ist nicht von der Sorte, die schweigen kann; wenn sie ihn ausquetschen,[53] wird er sprechen.

20   KRUM. Zum Glück hat mit den anderen wenigstens alles geklappt.

KRÖNER. Ja. Eine Postkarte aus Glasgow: Habe eine schöne Reise gehabt, und alles ist in Ordnung. Hoffe, dich bald wiederzusehen. (schärfer) D u bist der Arzt, d u hast
25   zu entscheiden: kann sie nun reisen oder nicht?

KRUM. Ich sagte dir ja: o b j e k t i v ist sie reisefähig.

KRÖNER. Also fahren wir.(leiser) Sag mir: war sie w i r k - l i c h so schwer krank?

KRUM. Du meinst . . . ?

30   KRÖNER. Ich hatte manchmal den Verdacht, daß sie nur mit uns gefahren ist, um hier krank zu werden — und mit einem Priester zu sprechen. War sie o b j e k t i v krank?

51. **wir müssen (he)raus** we must get out
52. **Wo** *here* Wherever
53. **ausquetschen** (*lit.* squeeze out) put pressure on

KRUM. Kein Zweifel, daß sie objektiv schwer krank war — nicht der geringste Zweifel.

KRÖNER. Gut. Und jetzt können wir fahren. Ja oder nein?

KRUM. Ja.

KRÖNER. Gut. Und wie es immer war: keine Spur darf 5
zurückbleiben. (*Tür wird geöffnet und geschlossen. K. scharf*) Was wollen Sie?

BRÜHL (*leise*). Ich will raus, lassen Sie mich raus. Ihre Frau ist wieder gesund.

KRÖNER (*freundlich*). Wollen Sie uns noch eine Stunde 10
Zeit lassen, e i n e Stunde?

BRÜHL. Ich weiß nicht, ob ich es noch ertrage. Ihre Freundlichkeit jedenfalls ertrage ich nicht länger.

KRÖNER. Weil wir so wenig Ihrer Vorstellung von Verbrechern entsprechen, werden Sie nervös, wie? Ist es das? 15

BRÜHL. Ich weiß nicht, was es ist. Ich will weg. Es gibt Menschen, die auf mich warten, die mich brauchen — hier sitze ich und unterhalte mich mit Ihrer kranken Frau über Dinge, über die ich mich auch mit der Frau des Bankiers unterhalte, der zu meinen Pfarrkindern zählt. Nur: da 20
dauert der Höflichkeitsbesuch fünfundzwanzig Minuten — bei Ihnen zwei Tage.

KRÖNER. Der Unterschied ist, daß es kein Höflichkeitsbesuch bei uns ist, sondern eine Notwendigkeit.

BRÜHL. Für Sie. Damit Ihr Geld gerettet wird. 25

KRÖNER. Etwas mehr als Geld.

BRÜHL. Ihre Freiheit, die Sie mit der Freiheit anderer, mit meiner etwa, bezahlen. Es geht um ein Leben in Frieden und Wohlstand, Ruhe, Kindererziehung, ein Leben an der See, auf einer Insel. Wahrscheinlich lesen Sie auch Platon 30
dort?

KRÖNER. Ich fange an, Sie zu mögen, Sie, (*lacht*) ein Priester, der nachdenkt.

BRÜHL. Bilden Sie sich nicht zuviel ein. Ich habe schon früher nachgedacht. 35

KRÖNER. Über die Sünden Ihrer Pfarrkinder? Des Bank-
direktors? Hören Sie, ich will Ihnen etwas erzählen. Einmal
versenkte ich ein Schiff mit zwanzigtausend Tonnen Lebensmittel: Rindfleisch, Tomaten, Äpfel, Schinken, Eier,
5 Mehl, Kaffee. Wissen Sie, wieviel Frühstücke auf diesem
Schiff waren: 40 Millionen. Ein Frühstück für eine ganze
Nation, eine große Nation. Ein Schiff, zwei Torpedos — im
ganzen versenkten wir einhundertzwanzigtausend Tonnen
Lebensmittel: sechs Mahlzeiten für eine ganze Nation. Ein
10 anderes Mal . . .
BRÜHL. Ich habe keine Rechtfertigung von Ihnen verlangt, oder?
KRÖNER. Es ist keine Rechtfertigung, nur der Versuch,
ein wenig zu Ihrer Unterhaltung beizutragen.
15 BRÜHL. Ich habe immer geglaubt, ich verstünde die Menschen, die Verbrechen begehen. Nur, wenn sie anfingen,
diese Verbrechen zu begründen, dann hörte mein Verständnis auf. Wenn ich den Finanzmann besuche, der mein Pfarrkind ist, fängt er immer an, mir aufzurechnen, wie segens-
20 reich seine Tätigkeit ist. Wollen Sie beichten: hier sind
meine Ohren. Aber die Zeit meiner Ohren ist begrenzt.
Lassen Sie mich raus. Ich habe schon zuviel Zeit hier ver-
loren.
KRÖNER. Ich dachte, Sie verständen sich glänzend mit
25 meiner Frau.
BRÜHL. Ich verstehe mich glänzend mit Ihrer Frau, aber
die Zeit, die ich auf glänzendes Verstehen mit anderen Menschen anwenden kann, selbst, wenn sie krank sind, diese Zeit
ist sehr begrenzt. Meine Ohren, meine Hände, mein Mund
30 — andere warten darauf. Ich habe Ihrer Frau die Sakramente gespendet: lassen Sie mich gehen!
KRÖNER. Werden Sie sprechen?
BRÜHL. Ich glaube: nein.
KRÖNER. Sie g l a u b e n : nein?
35 BRÜHL. Ich werde versuchen, so zu sein, als ob meine

Ohren nichts gehört und meine Augen nichts gesehen hätten — aber lassen Sie mich jetzt raus!

KRÖNER. Ich denke, wir werden in einer halben Stunde verschwinden können. Werden Sie uns sechs Stunden Vorsprung lassen? 5

BRÜHL. Sechs Stunden Schweigen — worüber schweigen?

KRÖNER. Wie wir aussehen, wie wir sprechen, wie wir gekleidet sind. Wir waren einmal die Spurlosen.

BRÜHL. Warum reden Sie so sanft mit mir?

KRÖNER. Ich bin meiner Sache gar nicht so sicher, wie 10 Sie zu glauben scheinen. Zerstören, zerstören — wissen Sie, was das bedeutet, jahrelang zu zerstören. In einer Fabrik in Mitteldeutschland stellen dreißig Arbeiter eine Bombe her — in einer anderen bauen hundert ein Flugzeug — irgendwo in der Welt bauen vierhundert, fünfhundert Ar- 15 beiter eine Brücke, jahrelang bauen sie — und in einer einzigen Minute wird die Brücke von Flugzeug und Bombe zerstört sein. Ich suche das Verhältnis zwischen Zerstörung und Arbeit. Ich habe die Männer gehaßt, die mir zu zerstören befahlen — aber ich hasse sie noch mehr, seitdem ich 20 weiß, daß sie jetzt wieder Lateinunterricht geben, Heringe verkaufen oder sich darüber erregen, wenn ihr Kind ein Spielzeug oder einen Suppenteller zerbricht.

BRÜHL. Ich bewundere Ihren Einbruch, aber Ihre Philosophie bewundere ich nicht. 25

KRÖNER. Haben Sie eine bessere Philosophie?

BRÜHL. Ich habe überhaupt keine; ich habe meine Ohren, meinen Mund, meine Hände; ich höre, spreche und vollziehe mit meinen Händen Handlungen an Bankdirektoren, Einbrechern, Kindern. Lassen Sie mich jetzt gehen! Ich 30 habe nie ein Vorurteil gegen Menschen gespürt. Lassen Sie mir den Glauben, daß es Ihnen bei Ihrem Einbruch nur um Geld ging: das könnte ich verstehen. Ihre Philosophie verstehe ich nicht.

KRÖNER. Ich kann Ihnen diesen Glauben leider nicht lassen. 35

BRÜHL. Schade: eine Enttäuschung mehr.

KRUM. Fürchten Sie sich vor Enttäuschungen?

BRÜHL. Sie nicht?

KRUM. Nein.

5 BRÜHL. Schade um Sie. Ich habe Angst vor Enttäuschungen, immer noch, obwohl sie täglich über mich hinrieseln wie Sand. [54] Man kann nicht unter Gerippen leben: Hoffnungen und Enttäuschungen sind das Fleisch an diesen Gerippen. Außerdem ist es so, daß auch i c h für andere
10 eine Enttäuschung werden könnte. Ich möchte das vermeiden. Wir geben uns zu wenig Rechenschaft darüber, wieviel Enttäuschungen wir anderen bereiten, Enttäuschungen sind . . .

KRUM (*unterbricht ihn sanft*). Ach, predigen Sie nicht;
15 streichen Sie das Wort Enttäuschung aus Ihrem Vokabular!

V

(*Tür wird geöffnet und geschlossen*)

MARIANNE. Er ist noch ausgegangen, Herr Pfarrer. Ich habe ihn gesehen — vor noch nicht zehn Minuten.

BRÜHL. Allein?

20 MARIANNE. Mit seiner Frau.

BRÜHL. Er scheint jeden Abend mit seiner Frau auszugehen.

KRÖNER (*mißtrauisch*). Wovon sprecht ihr?

MARIANNE. Von seinem Schulkameraden. (*Da alle schwei-*
25 *gen, weiter*) Ich habe es dir doch erzählt. Er hat entdeckt, daß unserem Haus gegenüber ein Schulkamerad von ihm wohnt, den er seit dreißig Jahren nicht mehr gesehen hat.

KRÖNER. Es kann nicht schön sein, jemanden wiederzusehen, den man vor dreißig Jahren kannte.

54. **über mich hinrieseln wie Sand** trickle down on me like sand

BRÜHL (*leise*). Jetzt predigen Sie. War er gut gelaunt?[55]

MARIANNE. Nicht so gut wie gestern. Er sah müde aus, mürrisch. Wahrscheinlich hat er kein Geld mehr . . . Ich bin gespannt,[56] wann sie zurückkommen, wir . . .

KRÖNER (*scharf*). Gehen Sie vom Fenster weg, Mann. Machen Sie uns nicht im letzten Augenblick alles kaputt. Mein Gott, sind Sie wahnsinnig geworden? Zwei Tage waren Sie so folgsam und jetzt. (*seufzt*) Machen Sie keine Dummheiten!

BRÜHL. Lassen Sie mich raus — Marianne, sagen Sie ihm, daß er mich rausläßt.

MARIANNE. Warum läßt du ihn nicht raus?

KRÖNER. Erst sechs Stunden nachdem wir weg sind, kann er das Haus verlassen.

MARIANNE. Aber wir können weg.

KRUM. Ich glaube, wir können es riskieren: es scheint ihr glänzend zu gehen. Du siehst, ich hatte recht mit meinem Medikament.

KRÖNER. Gut, packen wir unsere Sachen. Marianne, setz dich so lange![57] Ruh dich ein wenig aus! In einer Viertelstunde gehen wir. Und such ihm beizubringen,[58] daß er noch sechs Stunden warten muß, ehe er das Haus verläßt. (*scharf*) Und vom Fenster weg, gehen Sie erst gar nicht ans Fenster. Marianne, achte darauf! (*Tür auf und zu.*[59] *Kröner und Krum ab*)

BRÜHL (*leise*). Wo wohnen Sie?

MARIANNE. Sie haben mich schon so oft gefragt. Irgendwo im Westen.

BRÜHL. Westlich wovon?

MARIANNE (*lacht*). Westlich von hier — und Westen hört

55. **gut gelaunt** in good humor
56. **Ich bin gespannt** I am anxious to know
57. **so lange** in the meantime
58. **such ihm beizubringen** try to make clear to him
59. **auf und zu** opened and closed

genau da auf, wo Osten anfängt. Ich stelle Ihnen also ein-
hundertachtzig Längengrade zur Verfügung, [60] um uns zu
suchen. Oder — (*zögert*) oder würden Sie vielleicht mit uns
gehen?

5   BRÜHL (*schweigt erst, dann langsam*). Dachten Sie ernsthaft
daran, mich mitzunehmen?

MARIANNE. Ja. Wir könnten einen Priester brauchen.
Zehn Familien, wissen Sie, fünfundzwanzig Kinder. Einen
Priester braucht man. Dort, wo wir leben, ist eine Kirche,
10 verlassen, verfallen. Manchmal nehme ich die Frauen und
Kinder mit, wir singen, beten. Es gibt noch ein Stück von
einer Statue dort: nur die Füße, mit Sandalen, sicher Franziskus, [61] vielleicht ein anderer Mönch. Es ist schön dort:
Meer und Sand, viel Strand; die Kinder schreiben ihre
15 Schulaufgaben in den Sand, und wenn die Flut kommt,
löscht sie alles wieder aus: $3 + 3 + 7 = 13$ oder $3ax +
b + 19 = 4x$ — (*immer eindringlicher*) oder Aufsätze: „Bevor
die Sonne untergeht, strahlt sie noch einmal" . . .

BRÜHL. Warum erzählen Sie mir das alles?

20 MARIANNE. Weil wir einen Priester brauchen. Thomas
würde nicht nein sagen. Oder würde es Sie stören, von dem
Geld zu leben, das . . .

BRÜHL. Nein. Aber warum wollen Sie mich weglocken
von hier?

25 MARIANNE. Weil wir einen Priester brauchen, und hier
gibt es genug,

BRÜHL. Ich kann nicht.

MARIANNE. Schade — aber Sie werden sechs Stunden
schweigen: uns diesen Vorsprung lassen? (*B. schweigt*) Sagen
30 Sie, werden Sie schweigen?

BRÜHL. Ich weiß nicht, ob ich die Kraft dazu haben
werde, wenn sie mich verhören.

---

60. **Ich stelle Ihnen . . . zur Verfügung** I place . . . at your disposal
61. **Franziskus** (St.) Francis

MARIANNE. Sie können uns nicht verraten: zehn Familien, fünfundzwanzig Kinder . . .

BRÜHL. Wie alt sind Ihre Kinder?

MARIANNE. Zwölf, vierzehn und sechzehn — auch das habe ich Ihnen schon oft gesagt.

BRÜHL. Sechzehn? Da war noch Krieg, als Ihr ältestes Kind geboren wurde.

MARIANNE. Ja, er war vier Jahre alt, als wir mit dem U-Boot wegfuhren. Ein kleiner Hafen in Dänemark; dort trafen wir alle zusammen, zehn Frauen, drei Kinder waren damals dabei. Jetzt sind es fünfundzwanzig.

BRÜHL. Und in sechs Stunden werden Sie dort sein?

MARIANNE. Nein, — warum fragen Sie? Es ist besser, Sie wissen es nicht. In sechs Stunden werden wir soweit sein, daß Sie würden sprechen können, ohne uns zu verraten. Aber ich bitte Sie, schweigen Sie auch nach sechs Stunden. Was werden Sie tun?

BRÜHL. Ich werde schweigen.

MARIANNE. Es wäre schön, wenn Sie mitkämen. Sie würden Religionsunterricht am Strand geben, in den Sand schreiben: Ich glaube an Gott, den allmächtigen Vater, Schöpfer des Himmels und der Erde — Sie würden in den Sand schreiben: Erstes Gebot, zweites Gebot, drittes Gebot. — Wir würden zusammen die Heiligenstatue, die nur noch Füße hat, nach oben zusammenflicken. Eine Kutte. Was sollen wir ihm in die Hand geben: ein Kreuz, ein Kind, einen Totenkopf oder einen Apfel?

BRÜHL. Ihm? Sind Sie so sicher, daß es keine Heilige war?

MARIANNE. Nein, es sind Männerfüße — vielleicht eine Kirche in seine Hände oder eine Taube?

BRÜHL. Ich kann nicht mit Ihnen gehen, Marianne, es warten zu viele hier auf mich, und — ich will nicht.

MARIANNE. Wenn die Arbeit getan ist, könnten Sie fischen gehen, auf einer Klippe sitzen mit der Angel und hoffen, daß kein Fisch anbeißt. Oder mit den Kindern Muscheln

sammeln, sie Deutsch lehren: „Ich bin über den Bach gesprungen, du bist über den Bach gesprungen, er ist über
den Bach gesprungen, wir sind . . .“

BRÜHL. Ach, lassen Sie, Marianne! Haben Sie nicht zwei
5 Tage Zeit gehabt, mich kennenzulernen? Und warum kommen Sie nicht zurück, leben hier mit den Kindern? Sie
könnten einen anderen Namen annehmen, untertauchen,[62]
alle . . .

MARIANNE. Ich will nicht hierher zurück. (*leise*) Ich will
10 nicht: alle, die ich liebte, sind tot, und die ich nicht liebte,
leben.

BRÜHL. Sind Sie dort gewesen, wo Sie einmal zu Hause
waren?

MARIANNE. Nicht in der Stadt. Nur auf dem Friedhof. Ich
15 bat Thomas, mich wenigstens den Friedhof sehen zu lassen.

BRÜHL. Nur den Friedhof?

MARIANNE. Nirgendwo erfahren Sie schneller und ein-
deutiger, wer noch lebt. Die Grabsteine, auf ihnen steht
die Wahrheit in knappen Worten.[63] Ulrich hieß mein
20 Bruder, geboren 1926, gefallen 1945 — 19 Jahre alt; mehr
brauchte ich nicht wissen. Und Mutter — und Hanna,
meine Freundin — und meine Schwester, fünfunddreißig
Jahre alt. Die Namen aller, die ich hätte wiedersehen mögen, waren in Stein gemeißelt[64] oder mit schwarzer Farbe
25 auf weiße Kreuze geschrieben. Holunder auf den Gräbern,
Goldregen, Flieder (*plötzlich mit veränderter Stimme*) Er
kommt schon zurück?

BRÜHL. Heinrich? Allein?

MARIANNE. Ja, allein. Vielleicht hat er seine Frau ins
30 Kino gebracht, oder zu einer Versammlung . . .

BRÜHL. Keins der Kinder zu sehen?

MARIANNE. Nur der Älteste—wir wissen immer noch

---

62. **untertauchen** vanish
63. **in knappen Worten** in a few words
64. **in Stein gemeißelt** carved in stone

nicht seinen Namen. Ich habe Thomas gebeten, die Krämersfrau nach den Namen der Kinder zu fragen, aber er vergaß es.

BRÜHL. Was tut er?

MARIANNE. Er sprengt den Garten. Sein Vater tritt von 5
hinten an ihn heran, legt ihm die linke Hand über die Schultern; der Qualm der Zigarette kräuselt sich geradenwegs hoch, wie der Rauch von Abels[65] Opferfeuer. — Bald werden sie Kartoffeln ausmachen . . .

BRÜHL. Und der Junge wird mit einem Floß über das 10
Baggerloch[66] fahren, wie wir es damals kannten, als ich mit Heinrich befreundet war. Wir fuhren quer über das Baggerloch, auch wenn es regnete. Wir hatten Säcke über dem Kopf; sie rochen nach Erde, nach Kartoffeln, nach Zwiebeln. Dreißig Jahre: wie alt man geworden ist, sieht man 15
in den Gesichtern derer, die man jung gekannt hat: Enttäuschungen, Müdigkeit. Ich werde Heinrich besuchen.

MARIANNE. Ja, tun Sie es.

BRÜHL. Vielleicht läßt er mich noch einmal den Garten sprengen. Ob es wirklich noch der alte Schlauch ist? 20

MARIANNE. Er ist schwarz, brüchig, an vielen Stellen geflickt. Aber ich weiß nicht, ob Gartenschläuche so lange halten. (*leise und schnell*) Sie kommen nicht mit?

BRÜHL. Nein, es wäre . . . (*Tür auf und zu*)

KRÖNER. Es ist soweit,[67] wir können gehen, und ich 25
möchte nicht länger warten. Hören Sie, wollen Sie Geld? Vielleicht möchten Sie jemandem eine Freude machen?

BRÜHL. Nein, lassen Sie! Gehen Sie! (*heftiger, da K. auf ihn zukommt*) Verstehen Sie nicht, es wäre verdächtig, wenn ich Geld hätte; man würde mir noch weniger glauben, daß 30
ich nichts weiß.

KRÖNER. Also, adieu.[68] Es tut mir leid, daß wir Sie länger

---

65. **Abel** *the second son of Adam and Eve. He was killed by Cain (Genesis 4).*
66. **Baggerloch** hole made by dredge
67. **Es ist soweit** We are ready   68. **adieu** (*French*) farewell

hierhalten mußten, als vorgesehen war. Und folgendes, damit Sie die Stufen der Gefahr kennen; innerhalb der ersten drei Stunden sind wir sofort zu ergreifen, eine Stunde weiter schon schwieriger, nach sechs Stunden kaum noch,
5 aber . . .

BRÜHL *(heftig)*. Gehen Sie, gehen Sie endlich!

MARIANNE. Auf Wiedersehen — und noch ist es Zeit.

BRÜHL. Nein — auf Wiedersehen!

(Schritte im Haus, eine Tür schlägt zu. Das Geräusch hin- und
10 *herfahrender Loren, des Baggers)*

VI

(Im fahrenden Auto)

DRUVEN. Nett, daß Sie mich riefen und einluden, mitzukommen. Haben Sie Hoffnung, ihn zu finden?

KLEFFER. Nicht nur ihn; alle will ich finden. Es gibt so
15 merkwürdige Zufälle. Entsinnen Sie sich der Postkarte aus Glasgow?

DRUVEN. Ja. War das ein Hinweis?

KLEFFER. Einer, den ich fast übersehen hätte. Glasgow. Ich warf die Karte zu den Akten, fuhr nach Hause, aber
20 ich dachte immer nur Glasgow. Beim Essen, als ich einzuschlafen versuchte: Glasgow. Ich stand wieder auf, fuhr ins Amt zurück und fand schließlich die Akten des Mannes, an den die Karte aus Glasgow gerichtet war. Er war vor zwei Jahren aus England eingewandert, heimgekehrt [69] eigent-
25 lich. Gab sich als ehemaliger Kriegsgefangener aus, der in England untergeschlüpft war, gab an, Arzt gewesen zu sein, aber seinen Beruf nicht mehr ausüben zu wollen. Irgend etwas an dem Burschen gefiel mir schon damals nicht: nichts Persönliches, er war sogar recht sympathisch. Aber ich

69. **heimgekehrt** come back home

glaubte, so etwas wie Bigamie zu wittern, ließ in England nachforschen, und es kam heraus, daß er in keiner Liste irgendeines englischen Gefangenenlagers geführt war. [70] Als ich ihn dann zur Rede stellte, gab er an, er sei von einem U-Boot desertiert, habe in England unter falschem Namen [5] gelebt. Doch stimmte der Name, den er jetzt führte, nicht mit dem überein, den er als falschen Namen geführt zu haben angab. Schließlich fand sich in keiner der Listen von U-Boot-Besatzungen sein Name. Ich nahm ihn ins Kreuzverhör, um herauszubekommen, ob er zu jenem U-Boot [10] gehört haben könnte, das im Jahre 1944 geschlossen desertierte, [71] von dem man nie mehr hörte. Kennen Sie die Geschichte?

DRUVEN (*uninteressiert*). Nein — werden wir bald am Ziel sein? [15]

KLEFFER. Simrockstraße — drüben das Baggerloch — soviel ich weiß, liegt die Kanalsenke[72] gleich hinter dem Baggerloch.

DRUVEN. Dort hoffen Sie ihn zu finden?

KLEFFER. Dort hat er zwei Jahre lang gewohnt — zwei [20] Jahre lang in gewissen Abständen[73] Karten bekommen aus Glasgow, New York, Buenos Aires. „Es geht mir gut, ich hoffe dir auch. Habe manchmal Sehnsucht nach dir. Marianne!"

(*Geräusch hin- und herfahrender Loren, des Baggers*) [25]

DRUVEN. Sie werden begreifen, daß mich die Geschichte dieses Mannes weniger interessiert als Brühl, Brühl — glauben Sie? . . .

KLEFFER. Ich bin jetzt sicher, daß die verschwundene U-Boot-Besatzung mit den Spurlosen identisch ist. Damals [30] versuchte ich, Bilder der Besatzungsmitglieder zu bekom-

70. **geführt war** was registered
71. **geschlossen desertierte** (they) deserted as a group
72. **Kanalsenke** slope to the canal
73. **in gewissen Abständen** every now and then

men, um zu vergleichen: vielleicht war er der Bordarzt. Aber alle unsere Nachforschungen blieben ergebnislos. Jedenfalls habe ich den Burschen photographieren lassen, und die Spurlosen werden nicht mehr ganz so spurlos sein.

5   DRUVEN. Vielleicht beruht Ihre ganze Theorie auf einem Irrtum und wir werden den Herrn harmlos in seinem Garten finden.

KLEFFER. Merkwürdig nur, daß er sich damals um eine Stelle bei der Centralbank bewarb.

10   DRUVEN. Als Arzt?

KLEFFER. Nein, als Korrespondent für Englisch.

DRUVEN. Bekam er die Stelle?

KLEFFER. Ja — aber nach einem Jahr kündigte er, weil er eine bessere Stelle bekommen konnte.

15   (*Auto nimmt eine Kurve*)

DRUVEN. Hier ist die Kanalsenke. Ich kann nicht glauben, daß diese stille Vorstadtstraße, die als Sackgasse irgendwo im Vorgelände der Stadtbefestigung[74] endet — daß hier Brühl gesteckt haben soll. (*gleichgültig*) Welche Num-

20   mer sagten Sie?

KLEFFER. Nummer 19. Drehen Sie Ihre Hoffnung ein wenig auf, Herr Pfarrer. Langsam — sonst wird sie zu plötzlich hochkommen.

DRUVEN. Nummer 9, 11, 13 — ach, ich wundere mich,

25   wie sicher Sie sind — 17 (*Auto hält an*)(*beide draußen*)

DRUVEN. Soll ich klingeln?

KLEFFER. Ja, tun Sie es.

(*Druven klingelt; man hört das Geräusch sehr leise*)

DRUVEN. Krum — Heißt er so, der, von dem Sie spra-

30   chen? (*Schritte im Haus*) Tatsächlich, da kommt jemand. (*Tür wird geöffnet*) Brühl (*lacht*) Brühl, Sie leben und Sie — Aber wie merkwürdig: das Haus scheint leer zu sein. Hat man Sie nicht festgehalten? Sie bewegen sich frei?

74. **im Vorgelände der Stadtbefestigung** at the edge of the city wall

BRÜHL. Vielleicht möchten Sie hereinkommen?

KLEFFER. Allerdings — Übrigens dürften schon zwei meiner Beamten hier sein. (*ruft*) Schwitzkowski! Kommen Sie herauf!

SCHWITZKOWSKI (*aus dem Keller*). Ja — Augenblick.[75]

(*alle gehen ins Haus, Flur, Diele, Zimmer*)

SCHWITZKOWSKI. Seitdem wir hier versteckt sind, seit eineinhalb Stunden hat niemand das Haus verlassen.

KLEFFER. Wann haben die Verbrecher das Haus verlassen?

DRÜHL. Ich weiß nicht.

KLEFFER. Sie waren gefesselt?

BRÜHL. Nein.

KLEFFER. Betäubt?

BRÜHL. Nein.

KLEFFER. Sie waren frei, allein im Hause? Ohne jede Bedrohung?

BRÜHL. Nicht die ganze Zeit über — erst seitdem sie weg sind.

KLEFFER. Und seit wann sind sie weg?

BRÜHL. Ich weiß nicht. Ich hatte keine Uhr.

KLEFFER. Und warum sind Sie nicht gleich, nachdem Sie frei waren, hinaus und haben Alarm geschlagen?[76]

BRÜHL. Ich konnte nicht.

DRUVEN. Brühl, sagen Sie mir, ob Sie irgend etwas mit dem Verbrechen zu tun hatten?

BRÜHL. Ich hatte nichts damit zu tun, nichts.

KLEFFER. Erst seit wenigen Stunden, wenigen Minuten vielleicht haben Sie damit zu tun. Wer verschweigt, was zur Aufklärung eines Verbrechens und zur Ergreifung der Täter führen könnte — der hat damit zu tun. Und Sie veschweigen etwas.

BRÜHL. Gehöre ich zur Polizei?

75. **Augenblick.** Just a moment.
76. **Alarm schlagen** sound an alarm

KLEFFER (*wütend*). Nein — hat man Sie bedroht, Sie gefesselt, Sie gezwungen, zwei Tage hier zu verbringen?

BRÜHL. Ich war zu einer Sterbenden gerufen, zu einer —
Frau. Und als sie zu genesen anfing, bin ich zu ihrem Trost
5 hier geblieben. Bis zu dem Augenblick, wo sie aufstehen
und wegfahren konnte. Und ich habe dieser Frau etwas
versprochen.

KLEFFER. Was versprochen?

BRÜHL. Zu schweigen.

10 KLEFFER. Sie wissen also, wann die Verbrecher gegangen
sind? Sie wissen, wie sie aussahen, wissen möglicherweise
wohin sie gefahren sind, wo sie wohnen?

BRÜHL. Ich weiß, wann sie gefahren sind, weiß aber
nicht, wo sie wohnen.

15 KLEFFER. Aber wie sie aussehen?

BRÜHL. Ja.

KLEFFER. Beschreiben Sie sie uns!

BRÜHL. Nein . . . lassen Sie mich.

KLEFFER. Sie wollen nicht.

20 BRÜHL. Ich will nicht.

KLEFFER. Kennen Sie den hier, auf diesem Photo?

BRÜHL. Nein.

KLEFFER. Dumm von Ihnen, ihn nicht zu kennen. Er hat
nämlich hier gewohnt und ich weiß, daß er sich Krum
25 nannte — (*zu Schwitzkowski*) Rasen Sie sofort los mit diesem
Bild und sorgen Sie dafür, daß es sofort an alle Grenzsta-
tionen, an alle Flugplätze durchgegeben wird.[77] (*Schwitzkowski ab*) Wären Sie denn ewig in diesem Haus geblieben
und hätten auf uns gewartet?

30 BRÜHL. Nein — in einer Stunde wäre ich nach Hause
gegangen.

KLEFFER. In einer Stunde? Warum gerade in einer
Stunde?

77. an alle Flugplätze durchgegeben wird (that) all airports are
informed

BRÜHL. In einer Stunde wäre eine bestimmte Frist abgelaufen.

KLEFFER. Welche Frist?

BRÜHL. Eine bestimmte.

KLEFFER. Oh, Sie werden witzig, verstockt. Es tut mir 5
leid, aber ich werde Sie unter diesen Umständen nicht nach
Hause lassen, sondern Sie mitnehmen müssen.

BRÜHL. Nehmen Sie mich mit.

DRUVEN. Brühl, ein Versprechen, das man unter Zwang
gab, ist kein Versprechen. 10

BRÜHL. Ich habe das Versprechen nicht unter Zwang
gegeben.

DRUVEN. Aber in einer verteufelt gefährlichen Situation.

BRÜHL. Das Versprechen wurde mir ohne Drohung abgenommen, von jemand, der gar nicht in der Lage war, 15
mir zu drohen. — Niemand dachte daran, mich zu fesseln,
mich zu knebeln, damit die Frist garantiert erfüllt würde.
Nun ist sie bald erfüllt.

KLEFFER. Dann werden Sie also sprechen?

BRÜHL. Nein. 20

KLEFFER (wütend). Sie identifizieren sich also mit den
Leuten, die 180 000 Mark gestohlen haben.

BRÜHL. Keineswegs. Ich habe ihnen sogar das Sündhafte
ihres Verhaltens klar zu machen versucht.

KLEFFER. „Das Sündhafte ihres Verhaltens" — wissen 25
Sie, daß die Burschen damit den vierten Einbruch dieser
Art verübt haben?

BRÜHL. Nein, ich wußte es nicht.

KLEFFER. Aber diese Tatsache ändert auch nicht Ihre
Einstellung zu der Bande? 30

BRÜHL. Nein. Ich habe ein Versprechen gegeben, jemandem, der mit dem Einbruch unmittelbar nichts zu tun hat.

KLEFFER. Der Frau?

BRÜHL. Ja.

KLEFFER (hissig). Vielleicht liegt da das Geheimnis. 35

BRÜHL. Vielleicht ja.

KLEFFER. War sie hübsch?

BRÜHL. Ja.

KLEFFER. Und konnte sie schön reden?

5   BRÜHL. Ja.

KLEFFER. Nun — das ist ein Grund zu schweigen. Sehen Sie nicht, daß ich Ihnen zu helfen versuche, Herr Kaplan? Ich will wissen, warum Sie schweigen. Weil Sie das Verbrechen rechtfertigen — oder weil Sie — nun: weil Sie verliebt sind?

10   BRÜHL. Ich bin nicht verliebt — also kann ich Ihnen auch dieses Motiv leider nicht liefern. Kann ich nach Hause?

KLEFFER. Nein.

DRUVEN. Warum nicht? Er wird Ihnen nicht weglaufen. Er ist kein Verbrecher.

15   KLEFFER. Weiß ich das so genau? Vielleicht haben sie ihn nur hier gelassen, um Zeit zu gewinnen — uns aufzuhalten? So wie man dem Wolf, der hinter dem Schlitten herrennt, manchmal Brocken zuwirft: einen Schuh, einen Mantel — um Zeit zu gewinnen? Was weiß ich, da er selbst das Motiv, das ich ihm unterschob, ablehnte. Warum läßt man Verbrecher ungeschoren, hindert mich, ihre Spur zu verfolgen? Warum?

BRÜHL. Darf ich einmal aus dem Fenster blicken?

25   KLEFFER. Meinetwegen, wenn Sie mir sagen, warum.

BRÜHL. Ich durfte es nie: ich wußte nur, daß im Hause gegenüber ein alter Schulkamerad von mir wohnte; sehen durfte ich ihn nie, aber sie — die Frau, sie beschrieb ihn mir, und ich erkannte ihn wieder aus ihrer Beschreibung, seine Frau, seine Kinder — das Baggerloch, den Gartenschlauch . . . ich darf also ans Fenster gehen?

KLEFFER. Meinetwegen.

BRÜHL (*B. macht einige Schritte, zieht den Vorhang auf*). Es hat sich wenig verändert — fast nichts. Die Bäume sind sicher größer geworden, aber damals kamen sie mir ebenso groß vor, wie sie jetzt sind. Der Zaun ist geflickt, der Garten leer. Es ist fast dunkel — die Kinder schlafen — nur der Schlauch ist liegengeblieben — wie eine Schlange liegt er im Gras. Gehen wir — ich habe nichts mehr hier zu suchen. (*Schritte, Türen werden geschlossen, ein abfahrendes Auto*) 5

VII

(*Schritte durch einen Gang, Zellentür wird geöffnet und geschlossen*)

BRÜHL. Hat man sie geschnappt?

PÖLZIG. Ist das Ihre erste Frage? Haben Sie mich nichts anderes zu fragen, nichts zu berichten? 10

BRÜHL. Ich sitze hier, damit sie nicht geschnappt werden — oder wenn Ihnen das Wort besser paßt, nicht gefunden werden — ich sehe in meiner Frage nichts Überraschendes.

PÖLZIG. Mich überrascht Ihre Frage dennoch; ein Priester, der drei Wochen in Untersuchungshaft[78] sitzt, 15 den auch der Einspruch seiner Freunde, die Garantie seiner Behörde, nicht hat befreien können — ein Priester, der die Öffentlichkeit nicht nur beschäftigt, sondern beunruhigt — dessen erste Frage ist: haben sie sie geschnappt? Schon der Jargon gefällt mir nicht, Brühl. 20

BRÜHL. Wahrscheinlich mißverstehen Sie mich, meine Frage bedeutet nichts anderes, als daß ich wissen möchte, ob . . . ob meine Haft nicht überflüssig ist.

PÖLZIG. Sie meinen, Sie würden reden, wenn man sie — gefunden hätte? 25

BRÜHL. Natürlich — dann hätte mein Schweigen keinen Sinn mehr, und ich könnte aus der Haft heraus. (*leise*) Es gefällt mir nicht hier, keineswegs.

PÖLZIG. Sie enttäuschen mich: ich dachte, Ihr Schweigen

78. **Untersuchungshaft** imprisonment pending trial

habe mehr grundsätzliche als taktische Gründe. Übrigens:
falls man sie gefunden hätte, würde man nicht von Ihnen
zu erfahren versuchen, was man inzwischen schon wüßte.
Aber mir scheint, Sie verkennen den ganzen Fall. Es geht
5 um S i e — (*Schweigen, dann P. weiter*) Es geht weniger
um das, was man von Ihnen zu erfahren hofft, als um
I h r Vergehen. Verstehen Sie?

BRÜHL. Jetzt verstehe ich. Es war mir bisher nicht klar.
Sie glauben, daß ich weniger der wichtige Zeuge als der
10 Täter bin?

PÖLZIG. Ich glaube es nicht nur, ich weiß es. Es geht
immer noch um Ihr Motiv, das Motiv Ihres Schweigens.

BRÜHL. Ist das nicht klar?

PÖLZIG. Ist es nicht klar, daß jeder Staatsbürger die
15 Pflicht hat, bei der Aufklärung eines Verbrechens mit-
zuhelfen?

BRÜHL. Auch Christus war ein Verbrecher.

PÖLZIG. Enttäuschen Sie mich nicht, bitte. — Ich habe
Ihre Gründe bisher als private geachtet, aber machen Sie
20 keine Philosophie daraus. Versuchen Sie nicht, theoretisch
zu rechtfertigen, was nur privat zu rechtfertigen ist. (*plötzlich leise*) Hören Sie, sagen Sie mir, warum schweigen Sie?

BRÜHL. Ich käme mir wie ein Verräter vor, wenn ich
nicht schwiege.

25 PÖLZIG. Verräter an wem? An Räubern?

BRÜHL. Man kann auch an Räubern zum Verräter werden. (*eindringlicher*) Aber bitte, sagen Sie mir, ob Sie etwas
wissen — ob man sie gefunden hat.

PÖLZIG. Man hat nichts gefunden, keine Spur von den
30 Spurlosen — nur Sie wissen, wo sie sind.

BRÜHL. Sie täuschen sich: ich weiß nicht, wo sie sind.
Und doch weiß ich, wie sie dort leben. Ich weiß es — ich
sehe es vor mir: jemand schreibt auf den Strand $3 + 3 +$
$7 = 13$ — Schreibt: Bevor die Sonne untergeht — —
35 schreibt: Ich glaube an Gott, den allmächtigen Vater,

Schöpfer des Himmels und der Erde — und alles löscht die
Flut wieder aus, der Strand ist blank und glatt wie die
frische Wachstafel, die man Zacharias[79] in das Heiligtum
reichte, damit er den Namen seines Sohnes daraufschrieb
. . . Kinder spielen dort, lernen, Frauen leben — Soll ich 5
das alles verraten?

PÖLZIG. Dieses kleine Paradies, das Sie beschreiben, es
beruht auf Diebstahl, auf Raub, Einbruch.

BRÜHL (*leise, fast müde*). Alle Paradiese beruhen auf Raub,
Diebstahl, Einbruch — — Zwingen Sie mich nicht, meine 10
schlechte Philosophie auszugraben. Sie sind also noch nicht
gefunden worden?

PÖLZIG. Nein.

BRÜHL. Dann wird man sie auch nicht finden.

PÖLZIG. Und Sie werden weiter schweigen . . . 15

BRÜHL. Ich werde weiter schweigen.

PÖLZIG. Und es ist Ihnen klar, daß Sie des Schutzes, den
Ihre Würde, daß Sie der Garantien, die Ihre Vorgesetzten
Ihnen bieten könnten, verlustig gehen — daß Sie sich
außerhalb des Gesetzes stellen? 20

BRÜHL. Es ist mir klar, und ich fühle keine Bitterkeit
darüber.

PÖLZIG. Keine?

BRÜHL. Nicht die geringste — wie lange wird man mich
einsperren? 25

PÖLZIG (*seufzt*). Das wird davon abhängen, ob Sie das
Motiv Ihres Schweigens werden glaubhaft darstellen können. Ein Jahr, vielleicht zwei, vielleicht auch weniger als
ein Jahr. Ich fürchte, die Strafe wird hart sein, weil man
von Ihnen mehr Verantwortungsgefühl erwartet. 30

BRÜHL. Wenn ich anfangen würde, mein Motiv zu erläutern, zu schildern, was ich schildern müßte, würde ich
den Kriminalisten schon das liefern, was sie Spuren nennen —

79. **Zacharias** *father of John the Baptist*

PÖLZIG. Sie werden also schweigen?

BRÜHL. Ja. Ist Pfarrer Druven nicht gekommen?

PÖLZIG. Nein.

BRÜHL. Warum nicht?

5   PÖLZIG. Ich — wir — es kam uns darauf an, Ihnen nicht gerade jemanden zu schicken, der Sie bestärken würde.

BRÜHL (*lacht*). Er würde mich also bestärken; nun haben Sie sich verraten.

PÖLZIG. Triumphieren Sie nicht, ich habe Ihnen nur
10   verraten, was ich verraten wollte . . . Ich wünsche Ihnen Glück — und Stärke.

BRÜHL. Stärke — wozu? Habe ich nicht drei Wochen geschwiegen? Beharrlich und ohne Zweifel?

PÖLZIG. Sie wissen nicht, was Sie angefangen haben,
15   wissen nicht, worauf Sie sich einlassen. [80] Sie sind wie ein Kind, das die Spielkameraden vor Strafe zu schützen versucht.

(*Zellentür wird geöffnet und geschlossen*)

KLEFFER. Glasgow — Buenos Aires — New York — im-
20   merhin haben wir dieses Dreieck, in dem wir ein Gesicht suchen können.

BRÜHL. Ein großes Dreieck, mit einer riesigen Grundlinie und langen, langen Schenkeln — ein Dreieck voller Wasser.

KLEFFER. Und ein kleiner, verstockter Kaplan, der hun-
25   derten von biederen Polizisten eine Menge Arbeit ersparen könnte — und sich ein, zwei, drei Jahre Gefängnis. (*leiser*) Finden werden wir sie, Brühl, wir werden sie finden — Ihr Schweigen, Ihr Stolz, Ihre Brüderlichkeit wird verschwendet sein — weggeworfene Zeit, Mißtrauen, das Sie sich
30   hätten ersparen können — Verwirrung gesät — und die Ungnade der Oberen. Weswegen, Brühl, weswegen?

BRÜHL. Vielleicht bin ich nur das, was Sie sagten: ein Schuh, ein Mantel — ein alter Rock, den man dem Wolf

---

80. **sich einlassen auf** let oneself in for

zuwirft, der hinter dem Schlitten herrennt; nur ein Mittel,
Zeit zu gewinnen.

PÖLZIG. Die, für die Sie sich verschwenden, gehen fischen,
angeln.

BRÜHL. Und schreiben Schulaufgaben in den Sand. Und 5
eine Frau, die Religionsunterricht gibt, schreibt: „Siebtes
Gebot. Du sollst nicht stehlen" — und man überlegt gemeinsam, was man der Heiligenstatue in die Hand geben
soll: ein Kind, einen Apfel, einen Totenkopf oder ein Kreuz.

KLEFFER. Welcher Heiligenstatue? 10

BRÜHL (lacht). Fragen Sie nicht: Sie haben Ihr Dreieck,
und ein Photo.

KLEFFER. Sie schweigen also?

BRÜHL. Ich schweige.

(Zellentür wird geöffnet, geschlossen, Schritte entfernen sich) 15

Questions

1. Weshalb haben die zwei Männer den Priester geholt?
2. Womit drohen sie ihm?
3. Weiß der Priester, weshalb sie Umwege machen?
4. Wem hat Kröner ein Versprechen gegeben?
5. Worauf hat Toni in der Bank geschossen?
6. Was glaubt Pölzig, als er Brühl nicht zu Hause findet?
7. Was ist Druvens Meinung?
8. Was sagt Kleffer über den Einbruch?
9. Warum fiel der auffällige Wagen nicht auf?

10. Welche Gewohnheit hat der Bonbonfabrikant?
11. Welche Praktiken hat die Bande?
12. Was will Kleffer in der Wohnung des Priesters?
13. Was weiß er über dessen Leben?
14. Weshalb rechnet Kleffer nicht damit, daß die Beiden Brühl jemals wiedersehen werden?
15. Wovor hat Druven Angst?
16. Weshalb glaubt Kleffer nicht, daß man einen Priester zu einem sterbenden Bandenmitglied holen würde?
17. Weshalb will Druven nicht glauben, daß Brühl verstrickt ist?
18. Warum ist Marianne noch nicht reisefähig?
19. Was für ein Leben führen die Spurlosen auf der Insel?
20. Was denkt Kröner über das Zerstören im Krieg?
21. Weshalb muß Brühl noch warten, ehe er das Haus verlassen kann?
22. Was gibt es auf der Insel?
23. Warum will Marianne Brühl mitnehmen?
24. Wodurch hat Marianne erfahren, daß ihre Mutter tot ist?
25. Weshalb schweigt Brühl?
26. Was ist Brühls Pflicht?

Philemon und Baukis

Leopold Ahlsen

Personen

Nikolaos

Marulja

Petros, ein Partisanenoffizier

Alexandros
Georgios ⎬ Partisanen
Panagiotis

Alka, ein junges Mädchen

Ein deutscher Soldat

Der Erzähler

Einige Stimmen

ALEXANDROS. Ich muß an die Geschichte von Philemon und Baukis denken. Jedesmal wenn ich die kleine windschiefe Hütte sehe, die nun leersteht und in der einmal Nikos und Marulja hausten, muß ich an diese Geschichte denken; an die Sage von dem alten gastfreundlichen Paar, dem die 5 Götter verliehen haben, gemeinsam zu sterben . . . und das doch nicht starb; weil es in zwei Bäume verwandelt wurde, in eine Eiche und eine Linde; und die Äste der Bäume verschränkten sich . . .

Auch vor der Hütte des alten Nikos stehen zwei Bäume; 10 Eiche und Linde auch hier. Angeklammert und wie hingeweht[1] hockt die Hütte unter der riesigen Wand eines Abhangs. Gewalttätig sind die Felsen aufeinandergetürmt; rostrot, staubgrau; durchädert vom schmerzhaften Gelb der Serpentinenstraßen.[2] Und nirgends ein Fleckchen safti- 15 gen Grüns. Nur diese zwei Bäume. Es war gut hausen hier . . .

Jetzt ist die Hütte verfallen. Man erkennt mit Mühe, wie sie einst gewesen ist: der Bretterverschlag, der als Stall in Benützung war, die niedere Tür zum einzigen größeren Raum hinüber . . . Links an der Wand hing die Ikone, 20 Weinschläuche und Bündel von Gewürz an den Balken unter der Decke . . . Nun schaut die Linde durch das zerbrochene Dach.

Nikolaos hat sie gepflanzt, als ihm die Frau ein Mädchen schenkte. Das Kind starb schon im ersten Jahr. Dann setzte 25 er die Eiche: ein Sohn kam zur Welt. Ich habe ihn gekannt. Pawlis hieß er und war zweiundzwanzig Jahre alt, als der Krieg begann. Er heiratete am Tage, ehe er fortmußte; er heiratete Alka, die jetzt meine Frau ist, — denn schon aus den ersten Kämpfen kam Pawlis nicht zurück. 30

Von da an waren sie allein, die beiden alten Leute. Nikos: ein Sechziger, hager, auf krummen Beinen, die Augen klein,

1. **hingeweht** blown
2. **durchädert vom schmerzhaften Gelb der Serpentinenstraßen**
veined with (the design of) painfully yellow serpentine roads

behende und voll Pfiffigkeit. Ich mochte ihn gern; er hat mir einmal das Leben gerettet, als man hinter mir her war;[3] ich glaube, auch er hat mich gern gehabt . . . Marulja, die Frau, war ein Koloß aus Fleisch und Üppigkeit; mit Bart-
5 stoppeln über dem Mund. Ich stelle mir vor, wie sie dahinlebten, im Einerlei ihrer alten Tage. Oft denke ich daran. Ich liege im Schatten, neben der Hütte, und lausche auf das Raunen der Blätter; und zuweilen, ganz allmählich, — h ö r e ich sie . . .

10   (*Einblenden*)

MARULJA. Die Ziege geht ein, Nikos.
NIKOLAOS. Ich weiß es.
MARULJA. Geh ins Dorf hinunter.
NIKOLAOS. Wozu.
15   MARULJA. Jannis versteht sich drauf[4] —
NIKOLAOS. Ich verstehe mich auch drauf.
MARULJA. Du!
NIKOLAOS. Ich.
MARULJA. Als meine Mutter auf Leben und Tod lag,[5]
20 hat Jannis ihr ein Kraut auf die Brust gelegt, und sie wurde gesund.
NIKOLAOS. Ein Jahr später legte er ihr zwei Beutel Kraut auf die Brust, und sie starb.
MARULJA. Jeder Mensch muß einmal sterben.
25   NIKOLAOS. In dieser Hinsicht ist eine Ziege genau wie ein Mensch.
MARULJA. Schön. Es wird Deine Schuld sein, wenn sie eingeht.
NIKOLAOS. Natürlich.
30   MARULJA. Ganz allein die Deinige!

3. **als man hinter mir her war** when they were after me
4. **versteht sich d(a)rauf** is skilled, is an expert
5. **auf Leben und Tod lag** was deathly ill

NIKOLAOS. Gut. Und jetzt mag Dich der Teufel holen, Marulja.

MARULJA. Gut. Und Dich auch.

(*Ein paar Takte Flötenmusik. Dann ferne ein Schuß, mit dem typischen Echo der Berge. Die Melodie bricht ab. Noch ein Schuß.*) 5

MARULJA. Sie sind unterwegs?

NIKOLAOS. Woher soll i c h es wissen?

(*Wieder ein Schuß*)

NIKOLAOS. Vielleicht sind sie zur Jagd.

(*Ein MG-Stoß*) 10

MARULJA. Nein, das klingt anders.

NIKOLAOS. Kümmre Dich nicht drum.

MARULJA. Die geben nicht Ruhe, nicht eher, bis das Dorf dran glauben [6] muß.

NIKOLAOS. (*gleichgültig*) Es ist Krieg. 15

MARULJA. Dreckkrieg.

NIKOLAOS. Änderst Du es?

MARULJA. Ich sage: Dreckkrieg!

NIKOLAOS. Schön. Es ist, wie es ist. In längstens zwei Wochen sind die Englesi [7] hier, und es ist vorbei. 20

MARULJA. Können sie die zwei Wochen nicht warten?

NIKOLAOS. (*trocken*) Offenbar nicht.

MARULJA. Griechische Patrioten! (*Sie zieht geräuschvoll die Nase.* [8]) Wie ich das letzte Mal in der Stadt war, hatte man gerade drei von ihnen gefangen und aufgehängt. Drei Par- 25 tisanen an einem einzigen Baum.

NIKOLAOS. Ist es nicht jedermanns eigene Sache, gehängt zu werden?

MARULJA. Und wenn's [9] jedermanns eigene Sache ist — warum hast D u Dich eingemengt? 30

6. **d(a)ran glauben** (*sl.*) perish   7. **die Englesi** (*Greek*) the English
8. **die Nase ziehen** sniff
9. **wenn's = wenn es** (Throughout the play, the author uses spoken German, frequently taking the liberty of leaving out the final **e** in the imperative and the first person singular of the present indicative. He also leaves out the **e** of **es**, replacing it with an apostrophe.)

NIKOLAOS. Ist es m e i n Krieg? Ich meng' mich nicht ein.

MARULJA. Und wer hat den Alexandros unter den Säcken versteckt, als die Soldaten hinter ihm her waren?

NIKOLAOS. Das ist etwas anderes.

5 MARULJA. Oh, natürlich; das ist etwas anderes!

NIKOLAOS. Ja. Und schließlich warst D u es, die gesagt hat, daß er das gleiche Gesicht hat wie unser Sohn, und daß es schade sein würde, wenn er draufgeht. Hast Du's gesagt?

MARULJA. Nein —

10 NIKOLAOS. Doch, Du h a s t es gesagt.

MARULJA. Nie hab ich's gesagt.

NIKOLAOS. Dreimal hast Du's gesagt. — Und jetzt gib mir den Weinschlauch her.

MARULJA. (*brummt*) Das kannst Du: saufen. Das ist alles, 15 was Du kannst.

NIKOLAOS. (*grinst*) Du sagst es, ja. (*Er trinkt, schnauft genießerisch und ist gut gelaunt.*) Er schmeckt nach Harz, Marulja. Guter Retsina[10] schmeckt nach Harz, Du hast keinen Gaumen für so was,[11] Dein Verstand ist für so was zu kurz.[12]

20 MARULJA. Eines Tages wird der Deine im Wein ersaufen, so lang ist er nicht, da nicht drin[13] zu ersaufen.

NIKOLAOS. (*aufgeräumt*) Lang genug für siebzigmal sieben Schläuche,[14] glaubst Du nicht?

MARULJA. Hast Du Dich je gesehen, wenn Du betrunken 25 bist?

NIKOLAOS. (*grunzt*) Nein.

MARULJA. Nun, i c h hab Dich gesehen!

NIKOLAOS. (*betrübt*) Es ist schade, daß Du's nicht begreifst . . .

10. **Retsina** resin-flavored Greek wine
11. **Du hast keinen Gaumen für so was** You don't have any taste in these matters
12. **Dein Verstand ist . . . zu kurz** You are too stupid
13. **drin = darin**
14. **Schläuche = Weinschläuche** wineskins

MARULJA. Was —?

NIKOLAOS. Daß man nicht allzuviel hat. Die Flöte, den Schatten der beiden Bäume vorm Haus — und den Geschmack von Harz, den herben, verdammten, wunderbaren Geschmack vom Harz . . .

MARULJA. Und das ist alles?

NIKOLAOS. (*grinst*) Oh, früher gab es noch ein — viertes. Aber das ist vorbei.

MARULJA. Wer weiß, ob es vorbei ist? Wenn ich Dich nicht wegen der Ziege, sondern wegen Alka ins Dorf geschickt hätte, dann wäre Dir der Weg wohl nicht so weit.

NIKOLAOS. (*lächelt*) Oh, sie ist hübsch.

MARULJA. Also doch, siehst Du —

NIKOLAOS. (*lacht*)

MARULJA. Die Frau Deines eigenen Sohnes! Du schäme Dich was!

NIKOLAOS. (*vergnügt*) Er hatte denselben Geschmack wie ich, drall und frisch wie sie —

MARULJA. Und Du bist ein Jammerlappen, ein alter Knochen,[15] dem der Speichel aus dem Maul tropft, wenn er ißt!

NIKOLAOS. (*unerschütterlich*) Das macht nichts aus. Es ist für einen Mann ganz überflüssig, schön zu sein.

MARULJA. (*knurrt*) Du Bock —

NIKOLAOS. (*heftig, denn unvermittelt wird er des Spiels überdrüssig*) Ich habe sie als Schwiegertochter in mein Haus geführt, und nie im Leben habe ich dran gedacht, ihr zu nahe zu treten;[16] merke Dir das!

MARULJA. Tue so,[17] als hättest Du nie bei einer anderen geschlafen, tue Du so —

NIKOLAOS. (*trübsinnig*) Der Wein wird mir sauer, wenn Du hier bist, Marulja.

15. **alter Knochen** old (bag of) bone(s)
16. **ihr zu nahe zu treten** make advances to her
17. **Tue so** (Just) pretend

MARULJA. Oft genug hast Du!

NIKOLAOS. (*nun aggressiv*) Wie oft denn?!

MARULJA. Dreimal, ich weiß von dreimal —

NIKOLAOS. (*mit Emphase*) In vierzig Jahren d r e i m a l !

5   MARULJA. Das ist wohl nicht genug?

NIKOLAOS. (*überdrüssig*) Es geht aufs Ave-Läuten,[18] Marulja, es geht auf die Nachtvesper, ich habe gearbeitet den ganzen Tag, ich möchte meinen Frieden.

MARULJA. Eh,[19] — ich geh in den Stall.

10   NIKOLAOS. (*trocken*) Ich hoffe es.

(*Eine Tür schlägt. Das Ave-Läuten fern und dünn.*)

NIKOLAOS. Ave Maria . . . Immerjungfrau, Gottesgebärerin. (*Maschinengewehr fern*) Ich fürchte, es hat nicht viel genützt, ihn zu gebären, verdammt nicht viel . . . Ave

15   Wein, voll der Gnaden, der Wein sei mit dir . . .

(*Wein gluckert. Die Glocke kurz herauf, dann weg.*)

ALEXANDROS. So wird es gewesen sein, an jenem Tag; vielleicht auch ein wenig anders; aber ich kannte die beiden gut genug, um mir denken zu können, wie es gewesen sein

20   mag . . . Ohne daß sie es wußten, war ein besonderer Tag für sie. Es ist ihr letzter gewesen . . . Neblig war's. Die Häuser unseres Dorfes, unten im Tale, zwei Wegstunden[20] von der Hütte, sahen aus wie eine Schar verregneter Hühner, die sich zusammendrängt. Die Gassen lagen verödet.

25   Schweigend hinter den Fenstern standen die Leute; die Zurückgebliebenen;[21] die Weiber; die Alten und Kranken. Wir Jungen waren ja im Gebirge. Man stand hinter den blinden Scheiben und beobachtete eine lange graue Kolonne, die fröstelnd und fluchend die aufgeweichte Straße

30   herunterkam. Jermani nennt man hierzuland die Deut-

18. **Ave-Läuten** Angelus (*a bell rung at evening to announce evening prayer*)
19. **Eh!** exclamation
20. **zwei Wegstunden** two hour walk
21. **die Zurückgebliebenen** those staying behind

schen. Die Kunde von ihrem Durchzug verbreitete sich wie der Wind. Auch bei uns in den Bergen . . .

(*Ein Pfiff von fern*)
GEORGIOS. (*ruft entfernt*) He! Winzenzos!
WINZENZOS. (*nahe*) Ja?   5
GEORGIOS. (*etwas näher*) Wo ist der Chef?
WINZENZOS. Oben.
GEORGIOS. Ich gehe rauf. Die Jermani sind da!
(*Blende*)

PANAGIOTIS. Zum Kotzen.[22]   10
PETROS. Was denn?[23]
PANAGIOTIS. Es sollte verboten sein, so zu regnen, wenn dicke Luft ist.[24]
PETROS. (*vergnügt*) Morgen will ich's verbieten, Panagiotis, ja.   15
(*Man hört das unterdrückte Lachen mehrerer Männer.*)
PANAGIOTIS. Und die Zigaretten sind naß. Zum Kotzen.
PETROS. Da, fang auf. Und wenn Du geraucht hast, geh zu Stephanos, sag ihm, daß die ersten bei uns durch sind.
PANAGIOTIS. Ausgerechnet.[25] Das sind zwei Stunden Weg. 20
PETROS. Ich schreib Dir was für ihn auf, verlier's nicht, es ist ziemlich wichtig. (*Lächelt*) Du Kotzer.
PANAGIOTIS. Oh ja. (*Mit Inbrunst*) Ich kotze auf diesen Krieg, auf diese Jermani und auf alles.
PETROS. (*lacht ein dröhnendes Lachen*) Und ich auf Dich und 25
Deine Hundeschnauze. Mach's gut,[26] Du Ziegenarsch.
PANAGIOTIS. (*Ausblenden*) Wie denn nicht, zum Teufel![27]
(*Wieder Lachen etlicher Männer*)

22. **Zum Kotzen.** (*sl.*) It makes me sick.
23. **Was denn?** What do you mean?
24. **wenn dicke Luft ist** (*sl.*) when the air is ominous (*lit.* thick)
25. **Ausgerechnet.** That of all things.
26. **Mach's gut** Take it easy
27. **zum Teufel!** oh, to hell!

PETROS. Wo ist Alexandros?

JEMAND. Ich hab ihn vorhin mit dieser Alka gesehen.

PETROS. So was Verrücktes; dafür ist jetzt Zeit! Hol ihn mir her . . .

5   (*Blende. Leise Flötenmusik, ein paar Takte nur.*)

ALEXANDROS. Du solltest mich küssen, Alka, weißt Du.

ALKA. Nicht mal im Scherz.

ALEXANDROS. Im Ernst.

ALKA. Und sonst was —

10   ALEXANDROS. (*grinst*) Oh ja, wenn es geht — auch sonst was.

ALKA. Wenn Du frech bist, werde ich gehen —

ALEXANDROS. Ausgezeichnet. Aber erst wirst Du mich küssen.

15   ALKA. (*lacht*)

ALEXANDROS. Wie neulich, weißt Du noch?

ALKA. Sei still!

ALEXANDROS. Warum —

ALKA. Weil ich mich nicht daran erinnern mag!

20   ALEXANDROS. Ich bin ziemlich sicher, daß Du es magst —

ALKA. Nicht mag ich!

ALEXANDROS. Da war ein Duft von Heu und von kühlem Wasser . . . (*Musik: untermalend, lyrisch*[28]) . . . und eine winzige Wolke am Himmel. Und der Geruch Deines Haares;

25   dieser Hals, diese Haut —

ALKA. (*haucht*) Du —

ALEXANDROS. — die so glatt ist unter den Händen, so fest und so nahe, ganz nah . . .

(*Musik voll herauf / Ausklingen*)

30   ALKA. (*flüstert, sehr rasch*) Immer da sein, Alexandros, nie fort, hörst Du, niemals, nie, nie —

ALEXANDROS. Aber Kleines, was ist denn?

---

28. **untermalend, lyrisch** lyrical background (music)

ALKA. Nichts, ich habe Angst, gar nichts, nur Angst —
ALEXANDROS. Um mich?
ALKA. Natürlich um Dich. Ich bin so allein, ich —
(*Man hört von ferne einen durchdringenden Pfiff / Winzige Pause*)   5
ALKA. (*still*) Und schon bist Du fort . . .
ALEXANDROS. Aber nicht doch, noch bin ich doch da —
ALKA. Geh nicht, Alexandros, geh nicht mehr zu ihnen zurück, ich verstecke Dich bei mir, in ein paar Wochen ist alles zu Ende, die Jermani zichen ab —   10
ALEXANDROS. Du mußt vernünftig sein, Kleines. Ich kann das nicht tun. Sie brauchen mich doch.
(*Wieder der Pfiff*)
Du wirst vernünftig sein, Alka, nicht wahr? Versprich mir, daß Du es sein wirst, ich muß zu ihnen, Du mußt 15 das verstehen —
ALKA. (*herb*) Oh ja, ich versteh's . . .
(*Musik: ein paar Takte / Wechsel der Akustik*)

PETROS. Na, Du? Zurück?
ALEXANDROS. Georgios sagt, daß die Vorhut da ist.   20
PETROS. Mhm.
ALEXANDROS. Wieviel werden es werden, im ganzen?
PETROS. Zwei Regimenter.
ALEXANDROS. (*höflich*) Oh, wirklich?
PETROS. (*lächelt*) Ein bißchen viel, was?   25
ALEXANDROS. Oh, wenn man ihnen eine Handgranate unter den Hintern bindet —
PETROS. (*aufgeräumt*) Tu das, Alexandros, jedem einzelnen Mann.
ALEXANDROS. (*grinst*) In Ordnung.[29]   30
PETROS. Du bist bei Deiner Witwe gewesen?
ALEXANDROS. Witwe! Sie war ganze drei Stunden ver-

29. **In Ordnung.** All right.

heiratet, dann fuhr er zur Front und kam nicht mehr
zurück.

PETROS. Ich erinnere mich; der Sohn von Nikolaos. Hieß
er nicht Pawlis?

5 ALEXANDROS. Ja. — I c h will lieber warten damit.

PETROS. Mit heiraten?

ALEXANDROS. Ja. Bis alles vorbei ist. Drei, vier Wochen,
länger dauert es jetzt nicht mehr.

PETROS. (*lächelt*) Du hast weite Pläne, Junge.

10 ALEXANDROS. Wieso?

PETROS. Wenn wir drei, vier Tage überleben, sind wir
fein heraus.[30]

ALEXANDROS. Oho —

PETROS. Im Ernst. Ruf die Leute zusammen und nimm
15 das MG. Es ist eine Patrouille unterwegs, wenn wir sie in
die Schlucht locken können, kriegen wir sie.

ALEXANDROS. In Ordnung, Chef.

PETROS. Wir wollen ein paar in die Hölle schicken, mein
Junge, es wäre gar zu langweilig, allein dorthin zu gehen ...
20 (*Ausblenden*)

ALEXANDROS. So war er, Petros, unser Chef. Ein wilder
Mensch ist er gewesen, hart im Nehmen — und im Geben
noch mehr. Ein massiger Kerl, so breit fast wie hoch, mit
rötlich behaarten Händen und mit tabakgebräunten Pferde-
25 zähnen in dem Mund, der sich so gern zu einem schiefen
Grinsen gegen die Ohren schob ... Heut ist er tot. Er hat
recht behalten; die Übermacht der Jermani war zu groß.
Aber damals, an diesem nebligen Herbsttag, waren
w i r die Stärkeren. Deutsche Patrouillen durchkämmten
30 die Berge. Eine davon ging uns in den Hinterhalt.[31] Vierzehn Mann sind es gewesen, und ein Offizier. Wir, unser
zwanzig, hatten sie an einen Abgrund gedrängt. Gut fünfzig

30. **sind wir fein heraus** we are well out (of danger)
31. **ging uns in den Hinterhalt** walked into our trap

Meter fiel der Fels hinter ihnen ab; jäh und schroff. Und bloß drei kamen lebend aus dieser Falle; sie wagten den Abstieg. Ganz nahe bei der Hütte des Nikolaos ist es gewesen, man mußte sie von dort aus sehen.

MARULJA. Es kommen welche über den Fels! 5

NIKOLAOS. Ja.

MARULJA. Wie die Ziegen klettern sie herunter.

NIKOLAOS. Die Angst macht flinke Beine, ja. Ist im Stall alles in Ordnung?

MARULJA. Willst Du sie verstecken? 10

NIKOLAOS. Wenn sie unter mein Dach kommen . . .

MARULJA. Und Du hast gesehen, daß sie Uniform anhaben, daß es Jermani sind?

NIKOLAOS. Was geht es mich an, wie sie gekleidet sind?

MARULJA. Verriegle die Tür, Nikos, halt Dich heraus! 15

NIKOLAOS. Du weißt, was mit ihnen geschieht, wenn man sie fängt —

MARULJA. Und Du weißt, was mit D i r geschieht, wenn man sie h i e r fängt. Dieser Petros hat in seinem Leben mehr Menschen umgebracht als der Typhus. Du 20 weißt doch, welch ein Mensch das ist!

NIKOLAOS. Ja. Aber ich weiß nicht mehr, was D u für einer bist.

MARULJA. Mein Gott! — Du hast damals diesen Alexandros verborgen, und er kennt das Versteck — 25

NIKOLAOS. Wer an meine Hütte klopft, ist mein Gast. Und schließlich wird es nicht gerade Alexandros sein, der hier nachsehen kommt.

MARULJA. Und wer immer es ist, Du kannst nicht sagen: sie sind nicht hier — wenn man gesehen hat, wie sie hereinspaziert sind! 30

NIKOLAOS. Niemand sieht sie. Solange sie in der Wand sind, sind sie außer dem Schußfeld, und wenn sie bei der Hütte sind, auch. Nur dazwischen ist ein Stück, das einzusehen ist,[32] das dort bei der Wiese — und da müssen sie durch . . .

MARULJA. Petros wird auf sie schießen?

NIKOLAOS. Und ob er wird.[33]

5   (*Kleine Pause. Einzelne ferne Schüsse.*)

MARULJA. Gut . . . Mag sie der Satan holen.

NIKOLAOS. Aber ohne daß D u es wünscht!

MARULJA. Ich wünsche es aber!

NIKOLAOS. Ja! Zum Teufel! Und vielleicht auch ich . . . !

10   MARULJA. Und also! Verriegle die Tür!

NIKOLAOS. (*bestimmt*) Nein. — Ich bringe keinen vom Leben zum Tod.

MARULJA. Nicht D u bringst sie um —

NIKOLAOS. Darüber habe ich sehr eigene Ideen.

15   MARULJA. Schön. Bring Dich ins Unglück. Habe eigene Ideen, und bring Dich ins Unglück, Nikos!

NIKOLAOS. Richte heißes Wasser und Tücher. Wir werden sie brauchen, im Fall es einen trifft.

(*Türe*)

20   MARULJA. (*für sich*) Maulesel Du . . . — — Gleich sind sie unten. Mein Gott, wie nahe das ist. Wenn nur Petros nicht schießen wollte. Nur rasch, wenn sie machen, über die Wiese . . . Laß ihn nicht schießen, heilige Jungfrau, laß ihn nicht —

25   (*MG-Feuer, kurz aber heftig. Dann eine Sekunde Stille*)

MARULJA. (*flüstert voll Entsetzen / dicht am Mikro*) Oh Du mein Gott, oh Du mein Gott . . .

ALEXANDROS. Natürlich hatte Petros hinter dem MG gelegen und hatte gewartet. Nur ein kurzer Augenblick war

30   das — dieses gehetzte Springen der drei Männer über die Wiese. Aber Petros hatte sein Geschäft gelernt. Von den dreien blieb ein einziger unverletzt. Er lief an der Hütte

---

32. **das einzusehen ist** that can be seen
33. **Und ob er (schießen) wird.** Of course he will (shoot).

vorbei, weiter zu Tal. — Ob er die Hütte für eine neue Falle
hielt? Ob er sie gar nicht sah in seiner Erregung? Oder ob er
einfach ins Dorf wollte, um Meldung zu machen? Keiner
wird das mehr erfahren. Die beiden anderen blieben zurück.
Dem einen war die Hand durchschossen; er konnte von 5
Glück sagen; das ist das wenigste, in so einem Krieg. Aber
der letzte . . .
Er mußte die kurze Strecke zur Hütte geschleift werden.
Die Geschoßgarbe hatte ihm den Leib zerfetzt.

(*Einblenden*) 10
SOLDAT. Ein bißchen Wasser, nur einen Schluck . . .
MARULJA. Du hast einen Bauchschuß, Du darfst doch
nicht —
SOLDAT. Als ob ich keine Beine mehr hätte; als ob mir
das Leben davonrinnt . . . 15
MARULJA. Schön still sein jetzt, vernünftig sein. Es wird
ganz finster werden, wenn wir die Falltüre zuziehen. Aber
Dein Kamerad ist bei Dir, Du brauchst Dich nicht zu
ängstigen . . .
SOLDAT. Ja . . . 20
MARULJA. Du mußt versuchen, ein bißchen zu schlafen,
ja?
SOLDAT. Ja . . .
MARULJA. (*zärtlich*) Hurenjermanos,[34] kleiner, schmut-
ziger Hurenjermanos, wie mager Du bist . . . 25
(*Pause / Stille / Dann:*)

ALEXANDROS. Die gute alte Marulja . . . Ich frage mich
manchmal, ob sie wohl wirklich eine Vorstellung hatte von
dem, was ihr bevorstand. Doch, ich glaube es. Sie wird es
gewußt haben. Aber, was sie nicht wissen konnte, war: daß 30
wir schon auf dem Weg waren. Schon lange. Daß Petros

34. **Hurenjermanos** German son of a whore

nicht erst wartete, bis die Jermani ihre Kletterei beendet
hätten; daß er allein oben zurückgeblieben war hinterm
MG, mit nur einem Mann, der ihm den Gurt[35] hielt.

Uns aber hatte er in zwei Gruppen geteilt. Die eine sollte
5 sich zwischen die Jermani und das Dorf schieben; es gibt
einen Hohlweg dort, auf halber Strecke.[36] Im Fall die Deut-
schen die Hütte mieden, mußten sie da vorbei.

Mich aber schickte er zu Nikolaos. Mich und vier Mann.
Und das war nun eine Sache, die mir gar nicht gefiel. Wir
10 kamen unten an. Wir hatten nicht den Weg über die Felswand genommen, sondern einen Umweg; man konnte
kräftig ausschreiten,[37] und so waren die Jermani nicht viel
früher bei der Hütte als wir. Die beiden Alten im Stall
hatten noch alle Hände voll zu tun, sie zu verbinden und
15 zu verbergen. Ich wußte das nicht; irgendwie hatte ich ein
Gefühl davon, und doch wieder nicht . . . Eine Sekunde
lang dachte ich: sie sind hier; und dann wieder: Unsinn,
weitergegangen sind sie. Ich postierte drei Mann vorm
Haus und ging hinein. Die Stube war leer. Ich setzte mich
20 auf die Ofenbank. Ich setzte mich, als — käme ich bloß so;
als käme ich zu Besuch. Georgios war bei mir.

Georgios . . . ja. Ein langer Kerl, unglaublich dünn,
Kirchendiener im Dorf war er gewesen, eh er zu uns kam.
Ein Mann voll Würde und Gelassenheit. Aber ängstlich.
25 Die Angst machte es ihm ziemlich schwer, seine Würde zu
behaupten, als er mit mir in die Hütte trat . . .

GEORGIOS. (ruft) Nikolaos! Nikolaos, he! — — Ich würde
mich hier nicht so unbesorgt auf die Ofenbank hocken,
weißt Du.

30 ALEXANDROS. Oh, warum.

GEORGIOS. Wenn sie plötzlich hervorspringen! (ruft)
Nikolaos, hee! — Wo geht es dort hinaus? In den Stall?

35. **Gurt** belt
36. **auf halber Strecke** halfway down
37. **kräftig ausschreiten** walk briskly

ALEXANDROS. Ja —

GEORGIOS. Und diese Grube ist dort draußen?

ALEXANDROS. In der linken hinteren Ecke. — Na?

GEORGIOS. (*nervös*) Ich — gehe nicht gern wo hinein, wo
ich nicht weiß, wie es aussieht.

ALEXANDROS. (*grinst*) Es ist stockfinster drinnen.

GEORGIOS. (*knurrt*) Idiot.

ALEXANDROS. (*feixt*) Wenn Du reingehst, erschießen sie
Dich, Georgios!

GEORGIOS. (*gekränkt*) Du solltest diese Dinge wirklich etwas ernster nehmen, wenn es geht.

ALEXANDROS. Er hat sie nicht versteckt, er ist ein Patriot.

GEORGIOS. Wenn sie nicht hier sind, sind sie zum Dorf
hinunter. Aber Spyridion sitzt in dem Hohlweg, man müßte
doch schießen hören, Du Idiot.

ALEXANDROS. Schön. Wir werden uns hier umsehen.
Befehl ist Befehl. Aber nicht so idiotisch, wie D u es tun
willst, nicht so, daß es Streit mit ihm gibt.

GEORGIOS. Mache D u ' s doch, wenn Du so klug bist.
Hocke hier nicht herum, geh rüber, mach Du es —

ALEXANDROS. (*lacht*) Du bist ein Scheißkerl, Georgios!

GEORGIOS. Oh, tatsächlich? I c h?

ALEXANDROS. Wenn sie weiter sind, hören wir schießen,
und wenn sie hier sind, entgehen sie uns nicht, wir haben
doch Zeit!

(*Man hört von nebenan ein Rumpeln, dann das Quietschen einer
Tür*)

NIKOLAOS. (*heran*) Was ist denn mit Dir? Nimm den
Schießprügel weg.

GEORGIOS. Konnte ja nicht wissen, daß Du es bist.

NIKOLAOS. Hast gedacht, der Patriarch von Konstanti-
nopel, hä? Gewiß, ich hab große Ähnlichkeit mit dem
Patriarchen.

ALEXANDROS. Weil Du so lange im Stall warst und nicht
herauskamst, hat er einen Verdacht gehabt —

NIKOLAOS. (*verkniffen*) So?

ALEXANDROS. Er hat gedacht, Du bespringst Deine Ziegen! (*Er lacht*)

NIKOLAOS. (*mit einem etwas grimmigen Humor*) Das hab ich
5 im kleinen Finger gespürt, daß ich D i c h heut noch
sehe.

ALEXANDROS. Ein kleiner Scherz —

NIKOLAOS. Ich bringe Euch Wein.

(*Schritte. Schranköffnen. Zurückkommen*)

10 ALEXANDROS. Na, Alter, wie geht's?

NIKOLAOS. Mhm.

ALEXANDROS. Nicht gut?

NIKOLAOS. Eine Ziege geht ein.

ALEXANDROS. Das tut mir leid.

15 NIKOLAOS. (*trocken*) Ich will's ihr sagen.

ALEXANDROS. (*lacht*) Du bist ein boshafter Mensch.

NIKOLAOS. Zum Wohl.[38] — Ihr seid an die Jermani geraten?[39]

ALEXANDROS. Ja. Sie wollten durch die Schlucht. Den
20 Offizier hab ich erledigt.[40]

NIKOLAOS. (*grinst*) Mit d i e s e m Ding?

ALEXANDROS. (*feixt*) Man hält auf[41] die Zehe und trifft
das Ohr, so ein Ding ist das. Aber ich habe ihn trotzdem
erledigt.

25 GEORGIOS. (*knurrt, immer im Hintergrund*) Nicht mal im
Traum.

ALEXANDROS. Hä?

GEORGIOS. Wenn Du wissen willst, wer ihn erledigt hat
— i c h hab ihn erledigt.

30 ALEXANDROS. Nicht diesen Mann, Georgios —

GEORGIOS. Eh — !!

38. **Zum Wohl!** Your health!
39. **geraten (an)** meet (by chance)
40. **erledigt** (*sl.*) killed
41. **Man hält auf** One aims at

ALEXANDROS. Nicht diesen Mann!

GEORGIOS. Hättest Du doch alle erledigt, Du allein und allesamt!

ALEXANDROS. Ja, die Cholera über alle zusammen. Was, Nikos?

NIKOLAOS. (*grunzt*) Darauf wollen wir trinken, daß sie die Cholera holt.

GEORGIOS. (*immer im Hintergrund*) Ein paar möchte ich noch v o r der Cholera kriegen.

ALEXANDROS. Drei sind uns entwischt, wußtest Du das?

NIKOLAOS. Woher soll ich es wissen?

ALEXANDROS. Oh ja, natürlich, woher.

GEORGIOS. (*nervös*) Ich möchte sie noch kriegen, ja, das möchte ich. Ich möchte sie krepieren sehen.

NIKOLAOS. Warum?

GEORGIOS. Warum?

NIKOLAOS. (*ruhig*) Ja, warum?

GEORGIOS. (*nach kleiner Pause*) Hör zu, Du. Wir sind nicht zum Vergnügen gekommen und nicht, um zu trinken —

NIKOLAOS. Schade. Ich trinke sehr gern mit Euch.

ALEXANDROS. Und wir mit Dir. Hast Du gehört, Georgios, und wir mit ihm!

GEORGIOS. Nein, ich habe nicht gehört!
(*Er stößt eine Tür auf*) Was ist da drinnen?

NIKOLAOS. Der Stall.

GEORGIOS. Und?

NIKOLAOS. Die kranke Ziege. Verstehst Du was davon?

ALEXANDROS. (*grinst*) Geh hinein, Du, hast Du keine Lust?

GEORGIOS. (*schließt die Tür und spuckt wütend aus*) Ich möchte nur eines wissen, — wie weit es bis zum Hohlweg ist, ob das eine Tagesreise ist! Wie weit ist es, von hier aus?

NIKOLAOS. Ich hab es nicht gemessen.

GEORGIOS. Sag schon!

NIKOLAOS. Zehn Minuten vielleicht —

GEORGIOS. Na also! Man hätte es schon lange hören müssen!

NIKOLAOS. Was will er denn hören?

5   ALEXANDROS. Oh — ein bißchen Geknall.

NIKOLAOS. Habt ihr Leute dort unten?

ALEXANDROS. Spyridion wartet auf die drei. Wenn es knallt, werden wir verschwinden.

NIKOLAOS. Und — wenn es nicht knallt?

10   ALEXANDROS. Müssen wir suchen.

NIKOLAOS. Na, ich hoffe doch, es knallt.

GEORGIOS. (*immer etwas abseits*) Warum?

NIKOLAOS. Warum?

GEORGIOS. (*kontert grimmig das vorige Fragespiel*) Oh ja,
15 warum!

NIKOLAOS. Weil's regnet und Du Dir sonst den Schnupfen holst.

GEORGIOS. (*wütend*) Dich will ich was fragen, mein Lieber — Du hast einen herrlichen Blick vom Fenster aus auf diesen
20 Felsen —

NIKOLAOS. Man gewöhnt sich in fünfzig Jahren daran.

GEORGIOS. Und ich hätte es sehr gern gewußt, ob man da wohl herunterkommt, wenn man's versucht?

NIKOLAOS. Das ist nicht so schwer. Ich hab's schon mit
25 vierzehn gemacht.

GEORGIOS. Und heute? Heut hast Du keinen gesehen?

NIKOLAOS. Nein, heute habe ich keinen gesehen.

ALEXANDROS. Und Du bist ein Schafshintern, Georgios!

GEORGIOS. Das glaube ich nicht.

30   ALEXANDROS. Oh doch! — Er hört das Gras wachsen, [42]
Nikos. Wußtest Du das?

NIKOLAOS. Nein. Und er sieht nicht so aus.

ALEXANDROS. Er sieht nicht so aus! (*Beide lachen*)

42. **Er hört das Gras wachsen** (*coll.*) (He thinks he is so smart that)
he can hear the grass grow

NIKOLAOS. (*lacht*) Er wird den Schnupfen kriegen. Es regnet draußen, Georgios —

GEORGIOS. (*knurrt*) Ach, halt doch das Maul. [43]

NIKOLAOS. (*burlesk*) Georgios! Es war nicht brav von Dir, die dreie laufen zu lassen, Georgios — 5

GEORGIOS. (*schreit*) Das Maul!

ALEXANDROS. (*lacht*) Oh Du mein Gott! Saufe, Georgios, der Wein ist gut, der beste in der Gegend. Ist es nicht so?

NIKOLAOS. Ich hoffe doch.

ALEXANDROS. Oh ja. Und was haben wir davon gesoffen, 10 als die Jermani hinter mir her waren, und wir hatten sie hereingelegt, mit Deinem Loch da drüben, was?!

NIKOLAOS. (*sauer*) Schon gut, schon gut.

ALEXANDROS. Ach, das war ein Streich. Wenn die das Gras hätten wachsen hören! Was glaubst Du, wäre passiert, 15 wenn sie die Falltüre gefunden hätten, unter den Säcken?

NIKOLAOS. Schon gut, sag ich, und laß mich in Ruh.

ALEXANDROS. Warum? Sie h a b e n ' s nicht gefunden. Obwohl's eine ganze Patrouille war, acht oder neun, eine halbe Armee — 20

NIKOLAOS. (*trocken*) Es waren drei.

ALEXANDROS. Vollauf genug. Dein Verschlag war in Ordnung, das sage ich Dir.

NIKOLAOS. Möchtest Du nochmals hinübergehen?

ALEXANDROS. (*fröhlich*) Ja, genau das möchte ich! 25

NIKOLAOS. Ich möchte nicht.

ALEXANDROS. Ich möchte es noch einmal sehen, noch einmal über das Holz fahren, das rauhe, spleißige Holz an den Seiten. Du wirst's mir zeigen, Nikos! (*Er haut ihm auf die Schulter*) 30

NIKOLAOS. Nicht mal im Spaß.

ALEXANDROS. Doch, ich wäre hin [44] ohne das Loch, und ich möchte es noch einmal sehen —

43. **halt das Maul!** (*sl.*) hold your tongue! shut up!
44. **ich wäre hin** (*sl.*) I'd be dead

NIKOLAOS. Es ist eine gute Erinnerung — für Dich. Aber nicht für mich, Alexandros.

ALEXANDROS. (*mit Emphase*) Keine gute Erinnerung, mich gerettet zu haben?

5   NIKOLAOS. Nein, ich habe damals sehr geschwitzt.

GEORGIOS. (*langsam, nahe*) Und Du scheinst oft zu schwitzen.

NIKOLAOS. (*kommt langsam außer Verfassung*[45]) Ja, ich schwitze, ich schwitze, so oft Du's erlaubst. Ich schwitze 10 viel und ich saufe viel. Seit einer halben Stunde schütte ich den Wein in mich wie in einen Zuber, und doch kommt bloß Wasser heraus. Du bist mein Gast, Georgios, ich will mit Dir saufen. Keine Lust . . . ? Weil's nicht knallt, weil es, hol's der Teufel, noch immer nicht knallt . . .

15   ALEXANDROS. (*aufmerksam*) Es wäre tatsächlich Zeit.

NIKOLAOS. Ja, es wäre Zeit . . . Dieser Spyridion hockt dort unten — (*Ausbruch*) Er muß es doch sehen, wenn jemand zum Dorfe geht!

GEORGIOS. Ja, es ist nicht zu denken, daß einem jemand 20 vor der Nase tanzt, ohne daß man es sieht.

NIKOLAOS. (*nickt*) Ohne daß man es sieht.

GEORGIOS. Und es ist nicht zu denken, daß jemand über den Fels herunterklettert und beschossen wird, Dir vor der Nase — ohne daß Du es siehst!

25   (*Pause*)

NIKOLAOS. Ich bin ziemlich betrunken, aber ich fürchte, ich bin nicht ganz so betrunken, wie Du denkst.

GEORGIOS. Ich glaube, Du bist überhaupt nicht betrunken, gar nicht so sehr betrunken, glaube ich.

30   NIKOLAOS. Doch, ich bin betrunken, und wenn ich betrunken bin, rede ich gern, und jetzt will ich Dir etwas sagen —

GEORGIOS. Nichts wirst Du mir sagen, hinübergehen wirst Du und uns den Verschlag zeigen, der dort drüben ist —

45. **kommt . . . außer Verfassung** loses control of himself

NIKOLAOS. Nein, genau das werde ich nicht —

GEORGIOS. Doch wirst Du —

NIKOLAOS. Nein werde ich —

GEORGIOS. Und ich sage Dir, Du wirst. (*Man hört den Gewehrverschluß klicken*[46] / *Pause*) Na? 5

(*Nochmals eine kleine Pause und dann von ferne eine wilde Schießerei*)

ALEXANDROS. (*etwas abseits vom Mikro, beginnt zu lachen*) Oh Du mein Gott, oh Du mein Gott! (*Er lacht aus vollem Halse*[47] *und mit ansteckender Fröhlichkeit*) 10

(*Musik: knapper Akzent / fröhlich und fast burlesk / reißt abrupt ab*)

PETROS. (*sofort nahe*) Oh, welche Fröhlichkeit.

ALEXANDROS. Mein Gott, wer da nicht lacht!

PETROS. Gut, gut. Ich brauche einen Späher im Dorf. Es 15 ist möglich, daß das Gros des einen Regiments schon heute nacht durchkommt.

ALEXANDROS. In Ordnung.

PETROS. Gehe hinunter, wenn es dunkel wird und wenn nichts Besonderes los ist, bleibe bis gegen vier. Und jetzt 20 verschwinde, auch Du, Georgios, laßt mich allein mit ihm.

GEORGIOS. In Ordnung. (*Ab mit Alexandros*)

PETROS. Na, Du? Gekränkt?

NIKOLAOS. Ich verstehe Spaß, aber in Grenzen.

PETROS. Was denkst Du, hätte man mit Dir gemacht, 25 wenn man sie hier gefunden hätte?

NIKOLAOS. (*böse*) Keine Ahnung.[48]

PETROS. (*lächelt*) Oh, ich war immer der Ansicht, daß der Mensch verlangen kann, wenn man ihn schon aufhängt, daß es ordentlich geschieht. 30

NIKOLAOS. (*höflich*) Oh, wirklich?

PETROS. Von einem, der sich auskennt, und der seine Sache mit Feingefühl macht.

46. **klicken** click   47. **Er lacht aus vollem Halse** He laughs heartily
48. **Keine Ahnung.** No idea.

NIKOLAOS. Du wirst gewiß jemanden haben?

PETROS. (*dröhnend*)[49] Oh ja. Und wir sind freundliche Leute, Nikos.

NIKOLAOS. Sehr.

5 PETROS. Oh ja! — Und ich hätte gern einen von denen lebend gekriegt. Nicht daß ich neugierig wär, ihn umzulegen, obwohl es darauf hinauslaufen[50] wird. Aber ich möchte ihn ausfragen, verstehst Du, und das ist ziemlich wichtig für uns.

10 NIKOLAOS. Was geht das m i c h an?

PETROS. Was? Wenn Du einen da hast, — gib ihn mir.

NIKOLAOS. Paß auf, Du, mir reißt die Geduld[51] —

PETROS. Warum —

NIKOLAOS. Ihr habt auf das Schießen gewartet, und ihr 15 habt es bekommen, und jetzt geht bloß an die Luft![52]

PETROS. Ich geb nichts auf[53] das Geknall. Kann sein, es ist gegen alle gegangen, aber vielleicht auch bloß gegen einen oder zwei.

NIKOLAOS. Und wenn es gegen gar keinen gegangen ist! 20 Gibt es nicht Büsche genug, hinter die sie gekrochen sein können?

PETROS. Gibt es. Aber auch Falltüren gibts.

NIKOLAOS. Geh jetzt bloß raus! Du verpestest die Luft!

PETROS. Ich weiß, daß Du empfindlich bist; lieber Him- 25 mel, dies ganze Volk ist entsetzlich empfindlich. Aber unsere Lage ist ziemlich dreckig, und es wäre wirklich sehr wichtig für uns, einen zu kriegen, Nikos. Wenn einer hier ist — wenn, sag ich! schrei bloß nicht gleich! — dann wird Dir trotzdem niemand die Gurgel abschneiden. Verstehst 30 Du? Ich rühr Dich nicht an. Ich kenne Dich doch. Du bist ein Patriot.

49. **dröhnend** roaring   53. **geb nichts auf** do not care about
50. **hinauslaufen** (auf) amount (to)
51. **mir reißt die Geduld** I'm losing patience
52. **an die Luft gehen** go out

NIKOLAOS. Ja, natürlich.

PETROS. Und? Also?

NIKOLAOS. Was soll ich bloß tun?! Heilige Eide schwören?
Damit Du mir glaubst?!

PETROS. Ich hab Dein Wort? 5

NIKOLAOS. (*nach einem winzigen Zögern*) Doch; natürlich,
ja.

PETROS. Schön. Du weißt, daß das kein Spaß ist. Und
wenn ich Dir draufkomme auf was,[54] daß Du mich rein-
gelegt hast[55] oder so, — ich mache Dich kalt.[56] Du kennst 10
mich gut genug, Nikos, um zu wissen, daß ich es tu. Überleg
Dir's also. Hab ich Dein Wort?

NIKOLAOS. Ja.

PETROS. (*lächelt*) Ich könnte nachsehen, Nikos —

NIKOLAOS. Tu's. Aber das eine kann ich Dir sagen — 15

PETROS. Erledigt. Ich hab Dein Wort, und ich vertraue
Dir. Nicht wegen Deiner schönen Augen. Aber 's ist möglich, daß wir Dich brauchen werden die nächsten Tage;
und da ist's besser, Vertrauen zu haben, was?

NIKOLAOS. Ja — 20

PETROS. Na — mach's gut, alter Saufkopf.[57]

NIKOLAOS. Du auch, mach's gut.

(*Musik*)

NIKOLAOS. (*sehr herzlich und warm*) Es ist gut gegangen,
Marulja, nimm einen Anisschnaps, es ist vorbei. 25

MARULJA. Wie er gegangen ist und Dich gefragt hat, da
hättest Du es sagen müssen.

NIKOLAOS. Glaubst Du das wirklich?

MARULJA. Ja —

NIKOLAOS. (*lächelt*) Soviel Schweiß, Marulja, so viele 30
Ängste — und alles für gar nichts? Nein, sowie es finster

54. **wenn ich Dir d(a)raufkomme auf was** if I find out
55. **daß Du mich (he)reingelegt hast** (*sl.*) that you tricked me
56. **ich mache Dich kalt** (*sl.*) I'll kill you
57. **alter Saufkopf** you old souse

wird, schaffe ich sie zur drüberen Straße. [58] Und wenn sie aus dem Hause sind, geht uns das alles nichts mehr an. Doch. Ich fühle mich sehr angenehm. Und Du schau etwas freundlicher, wenn es irgendwie geht.

5 MARULJA. (*knurrt*)

NIKOLAOS. Was heißt das — (*imitiert ihr Knurren*). Kannst Du mir verraten, welche Sprache das ist?

MARULJA. Ich spucke auf Dein freundliches Schauen, diese Sprache ist das!

10 NIKOLAOS. (*trocken*) Aha.

MARULJA. Wir hatten das nötig! Wir mußten in diese Geschichte geraten, ja!

NIKOLAOS. Du fängst an, mich zu ärgern.

MARULJA. Ach, es ist wahr —

15 NIKOLAOS. Was, zum Teufel, was ist wahr! Es ist gut gegangen —

MARULJA. Nichts, zum Teufel, nichts ist gut!

NIKOLAOS. So? Und warum nicht?

MARULJA. (*müde*) Eh ja, schon gut.

20 NIKOLAOS. Wegen der paar Schritte, die wir den einen zu tragen haben? Nach zehn Minuten legt man ihn ins Gras und der andere soll laufen, seine Leute zu holen. Du bist wirklich lächerlich.

MARULJA. (*resigniert*) Ja, ich bin lächerlich.

25 NIKOLAOS. Oh ja.

MARULJA. Oh ja.

NIKOLAOS. (*grinst*) Aber sei mir nicht nochmals s o lächerlich und bring mir einen Jermanos ins Haus.

MARULJA. (*bitter*) Du bist fröhlich, Du machst Witze —

30 NIKOLAOS. (*man merkt, wie sehr er betrunken ist*) Oh jaja —

MARULJA. (*wütend*) Und Du weißt einen Dreck, [59] Nikos!

58. **zur drüberen Straße** (*coll. for* **zur Straße drüben**) to the road over there

59. **Du weißt einen Dreck!** (*sl.*) you don't know beans about it!

NIKOLAOS. (*burlesk*) Marulja! — Bring mir noch e i n - m a l einen Jermanos ins Haus. —

MARULJA. (*erbittert*) Ich habe mit dem einen gesprochen, als ich drüben war, und er hat mir etwas gesagt —

NIKOLAOS. Das ist erstaunlich. Du hast mit ihm ge- 5 sprochen, und er hat Dir —

MARULJA. Laß das, es ist ziemlich ernst!

NIKOLAOS. So?

MARULJA. Ja, s e h r ernst.

NIKOLAOS. (*ziemlich ernüchtert*) Was denn, was ist denn? 10

MARULJA. Sie wollen Geiseln erschießen, unten im Dorf. (*Pause*)

NIKOLAOS. Ausgerechnet dieses Mal —

MARULJA. Jetzt ist es schon so —

NIKOLAOS. (*stark*) Hundert Schießereien — und aus- 15 gerechnet dieses Mal!

MARULJA. Willst Du vielleicht hinunter?

NIKOLAOS. Was denn sonst?

MARULJA. Du erzählst ihnen Deine Geschichten, und sie werden Dich fragen, woher Du es weißt! 20

NIKOLAOS. (*grimmig*) Das ist sehr wahrscheinlich, ja.

MARULJA. Du solltest es bleiben lassen, [60] Nikos.

NIKOLAOS. Man muß sie doch warnen, sie müssen in die Berge gehn —

MARULJA. Schön. Aber geh nicht durch den Hohlweg, 25 wenn Spyridion noch unten ist, hält er Dich auf.

NIKOLAOS. Ich gehe den Wildwechsel.

MARULJA. Dort ist es schlüpfrig, brich Dir den Hals!

NIKOLAOS. (*grinst*) In Ordnung, Marulja.

MARULJA. (*leise; Angst*) Sei vorsichtig, hörst Du, weiche 30 den Jermani aus, sie können ganz plötzlich zugreifen —

NIKOLAOS. Ich wäre eine respektable Geisel —

MARULJA. Hau ab! [61] Und gib acht auf Dich, gib auf Dich acht!

60. **bleiben lassen** stay out of (it)   61. **Hau ab!** (*sl.*) Scram!

NIKOLAOS. Wie werde ich nicht. [62] (*Zur Tür. Dort, im Ton seines burlesken Scherzes von vorhin*) Aber eins will ich Dir sagen, bring Du mir noch e i n m a l —

MARULJA. Hau ab, Du, hau ab!

5 (*Musik*)

ALEXANDROS. Ich stelle mir vor, wie er hinunterstieg, der Alte; wie er um Spyridion unten im Hohlweg herumschlich . . . Die Nacht muß hereingebrochen sein, als er unterwegs war. Ich stelle mir vor, daß er gedacht hat: Sie werden
10 Fragen stellen; ziemlich lästige Fragen. Und wie soll das halbe Dorf sich in die Berge machen, unter den Augen der Jermani, ohne daß man es merkt? Hol's der Teufel, das ist eine schmutzige Geschichte. So denke ich, hat er geflucht . . . Inzwischen trieb noch jemand anderen die Sorge um.
15 Alka hat es mir später erzählt. Als sie den Gefechtslärm hörte, hat sie sich aufgemacht, um mich bei den beiden Alten zu suchen. Dabei war ich inzwischen längst im Dorf. Vielleicht wäre manches anders gekommen, wenn sie es gewußt hätte. So verfehlte sie mich, gerade weil sie mich
20 suchte. Marulja beschwichtigte sie zwar, ich sei wohlbehalten, hätte noch nach dem Kampf mit Nikolaos gezecht . . . aber beide Frauen waren unruhig. Es muß eine ziemlich gereizte Stimmung gewesen sein, die in der Stube hing . . .

(*Einblenden*)

25 ALKA. Du bist schon zu Bett gewesen?

MARULJA. Aber sicher war ich!

ALKA. Mitsamt den Schnürstiefeln?

MARULJA. Ich geh zu Bett, wie's mir paßt. Ich leg mich nackt in die Federn und mit'm [63] Hut auf dem Kopf, ohne
30 daß ich Dich frag. — Rennt diesem Tropf nach, und ganz

62. **Wie werde ich nicht** (**auf mich achtgeben**). Don't think that I won't (take care of myself).
63. mit'm = mit dem

allein — in der Nacht. Zu meiner Zeit hätte man sich was
geniert, das kann ich Dir sagen.

ALKA. Ich bin nun einmal verrückt nach ihm.

MARULJA. So?

ALKA. Doch, wirklich . . .   5

MARULJA. Und keine Idee, sich zu genieren, was?

ALKA. Nein, keine Idee.

MARULJA. (*hinterhältig*) Ist er wohl tüchtig?

ALKA. (*glaubt nicht zu verstehen*) Wie —?

MARULJA. Genau das! Als Kerl —!   10

ALKA. (*zwischen Lachen und Ärger*) Hör auf —!

MARULJA. (*brutal*) Ist er? Ich habe Dich gefragt?

ALKA. (*der Ärger gewinnt die Oberhand*) [64] Hör auf, sag ich!

MARULJA. Verstehst Du Dich gut mit ihm? — Alka! —
Ich hab Dich gefragt!   15

ALKA. (*schreit sie an*) Ja! Ich verstehe mich gut!

MARULJA. (*läßt plötzlich nach*) Schön, schön, und das ist
ziemlich wichtig.

ALKA. Du bist reichlich robust.

MARULJA. Oh, ich wollte, ich wäre es mehr, wirklich . . .   20

ALKA. Was hast Du nur heute?

MARULJA. Warum? Ich weiß nicht. Ich bin wirklich nicht
besonders in Ordnung. Es ärgert mich einfach — heute
ärgert mich alles, mach Dir nichts draus.

ALKA. Was ärgert Dich?   25

MARULJA. Eh, — nichts. Daß ich alt bin — alles. Nimm
ihn, wenn dieser Krieg vorbei ist; diesen Kerl, der meinen
Sohn vertritt. Du wirst einen Säufer kriegen wie ich, aber
das ist nicht so schlimm.

ALKA. Er trinkt doch nicht —   30

MARULJA. Das wird schon noch kommen, das kommt von
alleine. Und besser das als was anderes. Sie taugen alle nicht
viel. Es ist besser, er säuft.

64. **der Ärger gewinnt die Oberhand** anger gets the best (of her)

ALKA. (*aufgeräumt*) Oho — so ist das also!

MARULJA. Ich kenn das, Alka. Es ist kein Kinderspiel, verheiratet zu sein.

ALKA. Ich stelle mirs[65] schön vor . . .

5   MARULJA. (*knurrt*) Na, und wer tut das nicht.

ALKA. (*lächelnd, ein wenig versunken*) Immer zusammen sein, jeden Tag, nicht nur zweimal die Woche,—jeden Augenblick . . .

MARULJA. Immer, ja. Schön, oh ja. Jeden Tag, vierzig
10 Jahre . . . (*trocken*) Das Wunder ist, — man hält es aus.

ALKA. (*vergnügt*) Weshalb D u nur geheiratet hast!

MARULJA. Grünschnabel.

ALKA. Willst Du mir Angst machen?

MARULJA. (*breit*) [66] Ach, Mädel, was bist Du mir dumm!

15   ALKA. (*lächelt*) Warum läufst Du immer auf und ab? Weil e r nicht da ist?

MARULJA. Ah, dieser Tropf, dieser Säufer! Ihn eine Woche lang los sein — hundertmal sagt man sich das. Und dann ist's nicht zu ertragen, nicht zwei Stunden lang! Das
20 ist so eine Gewohnheit, eine verdammte Gewohnheit ist das.

ALKA. (*lächelt*) Vielleicht ist's eben doch etwas mehr?

MARULJA. Heilige Jungfrau! Jetzt fängt sie an, mich was zu lehren! Bloß weil sie einen Kerl hat. Beim ersten, man wird ziemlich rapplig, da könnt ich's verstehn, aber du
25 lieber Himmel[67] — (*plötzlich ganz ernst*) Es war nichts, mit Pawlis, sei ehrlich —

ALKA. (*vage*) Ich habe ihn gerne gehabt, wirklich, Du weißt es —

MARULJA. (*knapp*) Erledigt. [68] Ich hab mir's gedacht. (*Mit*
30 *leiser Melancholie*) Aber es wäre noch gekommen, bestimmt
. . .

65. **mirs = mir es**
66. **breit** drawling
67. **du lieber Himmel!** good heavens!
68. **Erledigt.** Let's forget it.

ALKA. (*vage*) Ja, bestimmt . . .

MARULJA. Und wie ist es mit ihm? (*Sonor*) Nicht, daß mich das interessiert, bilde Dir bloß keine Schwachheiten ein, [69] diese Jungmädchengeschichten, [70] Madonna, lauter albernes Zeug.

ALKA. (*lächelt*) Aber Du möchtest es wissen.

MARULJA. Ja. Und ein bißchen genau. — Du magst ihn?

ALKA. Sehr.

MARULJA. Das ist gar nichts. Noch einmal sehr?

ALKA. Ja —

MARULJA. Und nochmal —?

ALKA. (*leicht*) Und nochmal, und nochmal, und nochmal sehr!

MARULJA. Gut, gut — das ist schon e t w a s. Und wenn er Dich anfaßt, bloß so am Arm, dieses Gefühl — ist es schön, oder heiß, oder —

ALKA. (*leise*) 's ist, als ob's wehtut —

MARULJA. Gut so.

ALKA. Wie wenn man von einer Brücke fällt und nicht aufhört zu fallen . . .

MARULJA. (*zufrieden*) Gut, genau so ist es gut.

ALKA. (*still*) Und es bleibt nicht so, immer?

MARULJA. (*lacht*) Du bist verrückt!

ALKA. (*trotzig*) Ich bilde mir ein, daß es so bleibt —!

MARULJA. (*fröhlich*) Du bist fast sechzig, und wenn er Dich anfaßt, geht es Dir durch und durch? [71]

ALKA. Vielleicht nicht mit sechzig, aber —

MARULJA. Mit fünfzig?! (*Sie lacht dröhnend*) Oh mein Gott! Ich werd' mir Kleider anziehen mit kurzem Rock und mir Zöpfchen binden. Ich werde herumlaufen und mit dem Popo wackeln, als ob ich zwanzig wär. Ich bin auch von

---

69. **bilde Dir bloß keine Schwachheiten ein** don't have any illusions

70. **Jungmädchengeschichten** teenage stories

71. **geht es Dir durch und durch** it goes right through you

der Brücke gefallen, das kannst Du mir glauben! Ach, was
bist Du verrückt!

ALKA. Und ich bilde mir's ein, da sag, was Du willst —

MARULJA. Firlefanz, Alka, das zählt nicht s o viel —

5 ALKA. Was dann?

MARULJA. Weiß ich's?

ALKA. Was ist's dann, was zählt?

MARULJA. Als ob man's sagen könnte, als ob's so einfach
zu sagen wär! Vor zehn Jahren, zehn Jahre sind's gut, er
10 hatte den Typhus und war schon hinüber, und ich hab ihm
den Hintern gewischt —

ALKA. (*lacht*)

MARULJA. Oh, das war keine romantische Sache, aber
ich hab es getan!

15 ALKA. (*lacht*) Und das ist es, was zählt?

MARULJA. Warum nicht, vielleicht ist es das. Oder wie
er's getrieben hat, mit dieser Lenja, der Rothaarigen, Du
kennst ja das Biest. Und wie er heimkam, hab ich das
Milchfaß zerschlagen an ihm, und er hat mich geprügelt —
20 (*aufgeräumt*) und es war s c h ö n!

ALKA. (*lacht*) Oh Du mein Gott —!

MARULJA. Lache, Du Grünschnabel, Grasaffe, was verstehst Du! Vierzig Jahre . . . Gütiger Himmel, wie ich das
erstemal geboren habe, und es ging mir nicht gut, und er
25 saß dabei, und ich dachte, er kann ja nicht weinen, warum,
ich dachte die Mannsbilder können es nicht, ich hatte es
noch bei keinem gesehen. Und er hielt meine Hand, und
er tat so tapfer, und dann h a t er geweint! . . . Es ist
ein großes Geheimnis, zu zweit zu sein, und sich's nicht an-
30 ders mehr denken zu können, nicht einmal denken mehr —
ein großes Geheimnis, ich finde kein anderes Wort . . .

(*Musik*)

ALKA. Da ist er.

NIKOLAOS. Ich bin zu spät gekommen.

35 MARULJA. Ich habe das befürchtet, ja.

NIKOLAOS. Sie wollten es nicht glauben, sie haben gezögert . . . und mit einmal war es dann zu spät.

MARULJA. Und wie viele?

NIKOLAOS. Zehn. Im Laufe der Nacht noch wollen sie's erledigen.

MARULJA. Eine böse, eine dreckige Zeit . . .

ALKA. (*vom Hintergrund auf nah*) Was denn? Ist etwas?

MARULJA. Die Jermani erschießen Geiseln im Dorf.

ALKA. Mein Gott . . . ! Und von meinen Leuten — ist wer dabei?

NIKOLAOS. Niemand.

ALKA. Was — siehst Du mich so an?

NIKOLAOS. Es — ist niemand von deinen — Verwandten dabei, wirklich nicht.

ALKA. Du betonst das so — seltsam. Was ist denn? (*Kleine Pause, dann leiser Schrei*) Alexandros!

NIKOLAOS. Ja. Er war unten im Dorf.

ALKA. (*haucht*) Nein —
(*Musik setzt jäh ein; Ausdruck der Panik*)

ALKA. (*Schrei*) Nein!

MARULJA. (*schon in ihren Schrei hinein; sehr brutal*) Ruhig, Du, sei ruhig, schrei nicht, sei ruhig, Du, sei ruhig!
(*Musik reißt ab*)

ALKA. (*hat sich gefangen; in die Stille hinein*) Ja, ich bin ruhig, hab keine Angst, ich bin ganz ruhig —

MARULJA. (*energisch*) Ist etwas zu machen?

NIKOLAOS. Nein.

MARULJA. Geh zu Petros hinauf, Mädel.

ALKA. Ja.

MARULJA. Er soll einen Überfall machen, die Leute heraushauen, irgend etwas, er soll etwas tun —

NIKOLAOS. Wenn er etwas tun kann, soll er es tun, aber wenn es schief geht, ist das Dorf erledigt, sie brennen es ab —

MARULJA. Verschluck Dich damit!

NIKOLAOS. Man muß es —

MARULJA. Wer wird sich nicht wehren?! Dreinschlagen bei diesem Dreck, dem verdammt dreckigsten Dreck?! Nein, es geht nicht schief, Mädel — darf nicht. Geh zu Petros, sei
5 ruhig, bemüh Dich, ganz ruhig zu sein und gehe hinauf.

(*Aber das Mädel ist ruhig, und sie ist erregt*)

ALKA. Ja, ja — ich gehe hinauf.

(*Musik kurz*)

PETROS. Eine böse Geschichte.

10 ALKA. Ihr müßt sie herausholen —

PETROS. Das sagt sich so.

ALKA. Petros!

PETROS. Es wird Verluste geben, und womöglich mehr als zehn.

15 ALKA. Es ist Eure Schuld, daß die da unten sterben sollen!

PETROS. Lassen wir das —

ALKA. Du m u ß t ganz einfach, Petros, Du m u ß t es tun!

20 PETROS. Gar nichts muß ich. — Mit der regulären Besatzung im Dorf würden wir fertig. Aber alles ist in Bewegung, heute abend waren mehr Leute von ihnen unten als jemals zuvor. Es k ö n n e n jetzt weniger sein — aber auch dreimal soviel. Ich kann meine Leute nicht für eine
25 sinnlose Sache bluten lassen.

ALKA. Ich weiß nur das eine, daß man es versuchen muß.

PETROS. Ich möchte, daß Du mich verstehst, Alka. Ich habe den Jungen gern, Du weißt, wie gern ich ihn habe. Aber man kann nicht immer einfach das tun, wozu es einen
30 treibt.[72] Ich will, daß Du das verstehst, Alka!

ALKA. (*gequält*) Ich verstehe es ja —

PETROS. (*auf und ab*) Es sind die Väter und Brüder meiner

72. **wozu es einen treibt** what one really wants to do

Leute, die man dort unten umbringen will. Zum Teufel,
glaubst Du, es fällt mir leicht, hier still zu sitzen und nichts
zu tun? (*Auf und ab, bleibt stehen, etwas vom Mikro entfernt*)
Es ist ein Glücksspiel, Alka. Wenn die Vorhut schon weiter
ist, und das Gros des Regiments ist n o c h nicht hier ... 5
Die Chancen stehen eins zu zehn, nicht besser. Soll ich es
riskieren, Alka, soll ich?

ALKA. Ich weiß es nicht, i c h weiß es doch nicht —

PETROS. Natürlich weißt Du es nicht ... (*Pause, dann gutmütig und jetzt nah am Mikro*) Schneuz Dir die Nase, Mädel, 10
und heul nicht so viel. (*ruft*) Panagiotis!

PANAGIOTIS. (*etwas entfernt*) Ja?

PETROS. Wecke die Leute auf, es gibt zu tun.

ALEXANDROS. Ja, es gab zu tun. Es gab zu tun, weil er
einen Fehler machte. Er hatte eine Witterung von der Ge- 15
fahr, und er setzte sich darüber weg. Es ist aber nicht zuletzt
um dieses Fehlers willen, daß ich mit einem Gefühl fast der
Zuneigung an ihn zurückdenke. An diesen harten Mann,
der so gerne fröhlich war — und immer ein wenig traurig,
auch in seiner Fröhlichkeit. Ich saß also fest, unten im Dorf. 20
Man hatte uns in die Sakristei gesperrt, unser zehn, ältere
Männer zumeist. Welche Schuld lag auf diesen Menschen?
Wie konnte man sie erschießen? Ich wußte es nicht. Aber
ich dachte auch daran, daß Petros ebenfalls nie Gefangene
machte, schon weil er sie nicht bewachen konnte und erst 25
recht nicht ernähren ... Ich schob die Gedanken beiseite.
Es gab nur e i n e n Gedanken, der jetzt wichtig war:
leben. — Und auch das will ich vergessen. Die Geschichte,
die ich erzähle, ist nicht m e i n e Geschichte; es ist die
Geschichte von den beiden Alten dort oben in der Hütte. 30

Und das muß gewesen sein wie — wie wenn man in einen
Strudel kommt. Erst ist's nur die Spitze des Bootes, die es
herumreißt. Man denkt: du kommst noch heraus. Und die
Chancen sind gut. Aber dann bricht das Ruder. Und jetzt

steht es schlimm. Dich abdrücken [73] heißt's jetzt, vom Bootsrand — ein Sprung, bis dahin, wo der Strudel schwächer ist. Doch du zögerst, nur einen Augenblick, und alles ist s c h o n entschieden . . .

5 Nikolaos wollte die Soldaten aus dem Haus schaffen, und mußte ins Dorf. Er wollte sie aus dem Haus schaffen, als er wieder zurück war. Und dann — tat er den Sprung nicht — zögerte er . . . bloß einen Augenblick. — Er brachte den einen fort, den mit der zerschossenen Hand. — Damit er
10 die Uniform verdecken könne, gab er ihm einen Mantel und zeigte ihm den Weg. Den anderen aber, — ihn zu Tal tragen, so wie sein Zustand war, hieß: ihn töten. Und vielleicht dachte Nikos daran es zu tun, es ist möglich, daß er es tun wollte, warum nicht. Und vielleicht war es Marulja,
15 die sagte: laß ihn in Ruhe sterben, lasse ihn hier . . .

MARULJA. Er wird sterben, Nikos . . .

NIKOLAOS. Ich habe es nicht vermeiden können, drunten [74] die Wahrheit zu sagen; nicht allen, aber zweie wissen es. Wenn noch einmal jemand vorbeikommt, und er ist noch
20 da —

MARULJA. Ich weiß es doch! Aber kann man ihn denn hinausjagen und irgendwo verenden lassen wie ein Tier?

NIKOLAOS. Ich verstehe das, aber trotzdem —

MARULJA. Jemand muß doch bei einem sein, wenn man
25 stirbt . . . Man kann doch nicht allein sein dabei . . .

NIKOLAOS. Gut, Marulja. Wir lassen ihn.

(Blende)

SOLDAT. Wenn ich nicht gestolpert wäre, wie wir gelaufen sind . . . wenn ich nicht der letzte von uns dreien gewesen
30 wäre . . . Ich werde mich verbluten, was?

NIKOLAOS. Oh, das ist nicht gesagt. Im Dorf ist einer,

73. **Dich abdrücken** push (yourself) away
74. **drunten = da unten**

dem hat ein Steinschlag das Bein abgerissen, über'm[75] Knie, und er lag einen halben Tag, bis man ihn fand.

SOLDAT. (*resigniert*) Schon gut.[76]

NIKOLAOS. Nein, es ist wahr.

SOLDAT. Und die Schlagader war ab?

NIKOLAOS. Ganz und gar ab.

SOLDAT. Das gibt's nicht.

NIKOLAOS. Aber ich war es doch selber, der ihn gefunden hat!

SOLDAT. Nicht nach einem halben Tag —

NIKOLAOS. Doch!

SOLDAT. (*müde*) Du meinst es gut, ich weiß, aber Du brauchst mich nicht anzulügen.

(*Der nun folgende Umschlag der Szene ins Komische muß gut herausgearbeitet werden!*)

NIKOLAOS. Zum Teufel, kein Mensch lügt Dich an —

SOLDAT. (*ärgerlich*) Ach —!

NIKOLAOS. Ich hatte den Steinschlag gehört und ich hab ihn gefunden —

SOLDAT. (*regt sich nun doch auf*) Es ist doch nicht wahr.

NIKOLAOS. (*zornig*) Aber das ist — bin i c h nun dabeigewesen oder Du?!

SOLDAT. Er m u ß ja verbluten!

NIKOLAOS. (*schreit*) N i c h t ist er verblutet, zum Teufel nochmal!

SOLDAT. (*erschöpft*) Eh schön, wie Du willst.

NIKOLAOS. (*nach einer winzigen Pause*) Du bist ein eigensinniger Mensch.

(*Blende*)

MARULJA. (*flüstert sehr leise, dicht am Mikro*) Laß es zu Ende gehen, heilige Jungfrau, nimm ihn zu dir, weil er nun doch schon sterben muß, lasse es bald sein, nicht erst, wenn

75. **über'm** = über dem
76. **Schon gut.** All right.

es zu spät ist, heilige Mutter, laß ihn jetzt gleich sterben, wenn es irgendwie geht, hol ihn jetzt gleich . . . (*Blende*)

SOLDAT. Ich weiß, was sie betet . . .

NIKOLAOS. Woher willst Du es wissen?

5 SOLDAT. Daß ich rasch sterben soll —

NIKOLAOS. Aber Du bist nicht gescheit!

SOLDAT. Warum? Sie hat recht. Aber ich kann nicht schneller, ich kann nichts dafür.

NIKOLAOS. (*weich*) Du sollst Dir nicht solche Sachen ein-
10 reden.

SOLDAT. Ob es ein ewiges Leben gibt?

NIKOLAOS. Möglich. I c h weiß es doch nicht.

SOLDAT. Es wäre vielleicht schön.

NIKOLAOS. Hast Du Angst?

15 SOLDAT. Vorm Sterben? Nicht sehr . . .

NIKOLAOS. Ja, man braucht nicht sehr Angst zu haben. Ich sage das nicht bloß so. Ich bin einer, der gerne lebt, weißt Du, und wie die heute da waren, da hab ich gedacht: ich würde gern noch etwas mehr von dem Wein trinken.
20 Und nochmal den frischen Wind schmecken in der Frühe . . . Aber ich hatte trotzdem nicht Angst. Ein bißchen, ja, das gehört sich so, das ist die Natur. Aber nicht sehr. So wie Du's gesagt hast. — — Du! Ist was? —

(*Kleine Pause*) Der Herr geb ihm den Frieden.

25 (*Musik, zuerst feierlich — sie drückt den Tod aus — dann dramatischer. In sie hinein: ein heftiges Pochen*)

ALEXANDROS. (*ruft von außen*) Auf! Macht auf! —

MARULJA. (*Verblüffung*) Alexandros!

ALEXANDROS. Ich bin ihnen ausgerissen — vom Wagen
30 bin ich gesprungen. Weißt Du, wo Petros ist?

MARULJA. Er will Euch heraushauen —

ALEXANDROS. Und das Regiment ist da! Das Dorf wimmelt von ihnen! Panzer und Werfer! Ich muß ihn warnen, ich muß ihn erreichen. (*Wegblenden*)

(*Die Musik, die während der hastigen Szene im Hintergrund stand, kommt nun wieder stärker herauf, wird sehr dynamisch. Sie deutet den Kampf im Dorf an. Gefechtslärm dringt durch. — Wieder etwas zurück*).

NIKOLAOS. Er kann ihn nicht mehr erreichen, Marulja . . . ₅ Es ist zu spät. Der Angriff ist schon im Gange. [77]

MARULJA. Wenn sie zurückgeschlagen werden, kommen sie hier vorbei —

NIKOLAOS. Ja — dann kommen sie hier vorbei.

MARULJA. (*Panik*) Die Leiche muß weg! Wohin mit der ₁₀ Leiche, Nikos? Die Leiche muß weg!

(*Ertrinkt in der Musik, die wieder stark heraufkommt und endlich ausklingt*)

(*Schnitt*)

PETROS. Wir haben mit Dir zu reden. ₁₅

NIKOLAOS. So?

PETROS. Schaffe die Frau hinaus, Georgios.

MARULJA. Ich bleibe —!

GEORGIOS. Komm schon, komm, komm, komm ; ; ;

MARULJA. (*zugleich*) Nein! Nein, nein! (*Wegblenden*) ₂₀

(*Kleine Pause*)

PETROS. Du hast mir Dein Wort gegeben, Nikolaos, und Du hast mich belogen!

NIKOLAOS. Nein, das habe ich nicht.

PETROS. Hast Du im Dorf erzählt, daß Du zwei versteckt ₂₅ hast? Ja oder nein?

NIKOLAOS. Ich mußte das sagen, obwohl es nicht wahr ist, sie hätten mir das mit den Geiseln nicht geglaubt.

PETROS. Und woher wußtest Du das — mit den Geiseln?

NIKOLAOS. Ich wußte es. Es geht Dich nichts an, woher ₃₀ ich es wußte.

PANAGIOTIS. Zum Teufel, lege ihn um, Chef, und aus —!

PETROS. Halts Maul!

---

77. **Der Angriff ist schon im Gange.** The attack is already under way.

PANAGIOTIS. Wozu sich aufhalten —

PETROS. Das ist eine Sache, die mit Würde erledigt wird!

PANAGIOTIS. Ich kotze auf Deine Würde! Wenn die Jermani einen Gegenstoß machen, dann kannst Du sehn!

5   PETROS. Glaubst Du wirklich, es ist so wichtig für die Welt, ob Du lebst oder nicht?

PANAGIOTIS. Zum Teufel, m i r ist es wichtig!

PETROS. Wir überleben diesen Krieg nicht, Panagiotis, weder so noch so. — Woher wußtest Du es also, Nikos?

10   NIKOLAOS. Nachdem ihr fort wart, kam einer herein. Hätte ich ihn fangen sollen? Er hatte ein Gewehr.

PETROS. Und wie erklärst Du Dir, daß das Stroh in dem Verschlag voll Blut ist?

NIKOLAOS. Ich — hab eine Ziege geschlachtet.

15   PETROS. In diesem Loch? Warum so unbequem, Nikos?!

NIKOLAOS. Das kann ich so unbequem machen, wie's mir gefällt.

PETROS. Ich will Dir was sagen, Nikos. Wie wir zur Kirche kamen, soll ich Dir sagen, wer dort an der Mauer

20   gelegen hat?

NIKOLAOS. Ich kann es mir denken.

PETROS. Nein. Du kannst Dir's nicht denken. Nicht w i e sowas aussieht. Neun alte Männer. Ich bin nicht besonders gefühlvoll, aber ich habe Mühe gehabt, nicht zu kotzen,

25   wie ich das gesehen hab. (*erbittert*) Und das geht Dir nicht hin.[78] Das nicht.

NIKOLAOS. Mir?

PETROS. Ja. So etwas kann Dir nicht hingehen, das wär nicht gerecht.

30   NIKOLAOS. Hab i c h sie erschossen?!

PETROS. So ist das. So ähnlich. Ja.

NIKOLAOS. Du bist — verrückt bist Du!

PETROS. Nein —

78. **das geht Dir nicht hin** you will not get away with this

NIKOLAOS. Ich bin hinunter, kaum daß ich was erfahren hab. Ich habe weiß Gott getan, was ich konnte —

PETROS. Das Maul aufmachen, wie ich hier war, d a s hättest Du können! Ich hätte es aus ihnen herausgequetscht, das kannst Du mir glauben! Und da war kein Regiment im 5 Dorf, kein Panzer. Vier Stunden früher wären wir hinunter, r e c h t z e i t i g hätten wir es gemacht!

NIKOLAOS. Das ist nicht wahr . . .

PETROS. Weiß Gott, es ist wahr! Und es ist noch nicht einmal alles. Denn auch wir haben Tote gehabt. Sechs Tote 10 — und für gar nichts. — Hör auf zu trinken, ich spreche von den Toten, das ist eine ernste Sache, bei der man nicht trinkt.

NIKOLAOS. (*still*) Die Welt steht von unten nach oben, [79] ganz verkehrt ist sie, ich bring sie nicht mehr grad, [80] ohne 15 den Wein.

PETROS. (*hart*) Rede jetzt. Du hast mich belogen, — ja oder nein?

NIKOLAOS. (*und es klingt jetzt sehr müde*) Nein . . .

PETROS. Gib den Mantel her, Panagiotis. — Nun? Kennst 20 Du das Ding? (*Pause*) Es ist uns einer in die Hände gelaufen, der diesen Mantel anhatte. Und darunter trug er eine Uniform.

NIKOLAOS. Ich habe ihm den Mantel gegeben.

PETROS. (*nimmt es für ein Geständnis*) Na also. 25

NIKOLAOS. (*ein letzter, schon resignierter Versuch*) Er hat mich bedroht, er war hier, nachdem du schon wieder weg warst.

PETROS. (*schneidend*) Er hat es uns anders erzählt!

(*Pause*)

NIKOLAOS. Er ist — tot? 30

PETROS. (*grimmig*) So tot man nur sein kann, da verlasse Dich drauf. [81]

79. von unten nach oben upside down
80. grad = gerade
81. verlasse Dich d(a)rauf you can be sure of that

NIKOLAOS. (*bitter*) Gut so. Ist auch d a s meine Schuld? Wie die sechse von Euch? Wie die Geiseln? A l l e s meine Schuld, Petros?! Ein Massenmörder! Schau mich an . . .

5 PETROS. Hör zu trinken auf.

NIKOLAOS. (*leise*) Nein, Petros, i c h bin nicht schuld, daß wer gestorben ist. Sag's so oft du willst, — es i s t nicht meine Schuld.

PETROS. Wem seine denn?

10 NIKOLAOS. Wer kann es nicht lassen, den Helden zu spielen? Diesen Krieg, diesen ganzen lächerlichen, überflüssigen Krieg!

PETROS. (*kalt*) Ob er überflüssig ist oder nicht, darüber denke wie Du willst.

15 NIKOLAOS. Ich habe E u c h geholfen, und ich habe i h n e n geholfen. Wer in meine Hütte kommt, der ist mein Gast. Seit wann ist das ein Verbrechen, daß man Verwundeten hilft? Das sage mir, Du!

PETROS. (*stark*) Hab ich gesagt: gib sie heraus, und es 20 wird Dir nichts geschehen? Hab ich's gesagt? Aber nimm Dich in acht, mich zu belügen! Ich mache Dich kalt! Hab ich's gesagt?

NIKOLAOS. Mir ist das ganz —

PETROS. Habe ich's gesagt?!

25 NIKOLAOS. Ja . . .

PETROS. Und fertig. Du mußtest selber wissen, was Du tust und wie es ausgeht, wenn es herauskommt. Hol Deine Frau. Ich gebe Dir fünf Minuten, länger nicht.

(*Musik*)

30 MARULJA. Nikos . . .

NIKOLAOS. Nimm's nicht so schwer, [82] Marulja, wenn es geht.

MARULJA. Ja . . .

---

82. **Nimm (e)s nicht so schwer** Don't take it so hard

NIKOLAOS. Du mußt Dir's nicht zu Herzen nehmen. Es
— ist eine sehr einfache Sache, im Grunde. Ich habe viele
sterben sehen, Menschen und Vieh, und es ist nichts Besonderes; jeder muß das durchmachen, irgend einmal, und es
kommt nicht mehr darauf an, mit sechzig . . .   5
MARULJA. (*erstickt*) Mein Gott . . .
NIKOLAOS. Hab auf alles acht, hörst Du. Die Stalltüre
muß man bald richten, sie klemmt, und lasse mir den Wein
nicht verkommen, pflege ihn, und zum Keltern bringe ihn
ins Dorf. Du verstehst nichts davon, es wäre schade drum, [83] 10
weißt Du.
MARULJA. Ja.
NIKOLAOS. (*lächelt; sehr weich*) Wie schweigsam Du bist,
Marulja. Du bist nie so schweigsam gewesen.
MARULJA. (*stammelt*) Verzeih mir, wenn ich so oft — wenn 15
ich mich so —
NIKOLAOS. Aber was, ich wollte das so. (*Und jetzt über-
mannt ihn fast selber die Rührung*) Es wird mir abgehen, [84]
Dein Schimpfen zu hören, weißt Du. Das vor allen Dingen,
glaube ich . . .   20
MARULJA. (*flüstert*) Es ist doch unmöglich, allein zu sein.
Nikos, es geht doch nicht . . .
NIKOLAOS. (*hilflos*) Ja, nun, mein Gott —
MARULJA. (*immer leise*) Nach all den Jahren, nach einem
ganzen Leben, es ist so unmöglich, allein zu sein . . .   25
(*Musik, dramatisch aufgewühlt*)
MARULJA. (*in die Musik hinein*) I c h habe sie eingelas-
sen, m e i n e Schuld ist es, es ist meine Sache wie seine,
und ich will mit ihm gehen, er soll nicht alleine gehen, ich
will nicht allein sein, Petros, ich will mit ihm gehen, und es 30
ist meine Schuld, Petros, meine Schuld!
(*Musik bricht ab — Pause*)
PETROS. (*fast weich*) Gut. Geh mit ihm, Marulja.

83. **drum** = darum
84. **Es wird mir abgehen** I shall miss it

ALEXANDROS. Und genug —!

PETROS. Sei ruhig!

ALEXANDROS. — Ich hab das mitangesehen und das Maul gehalten, obwohl ich speien möchte, so kotzt es mich an —

5   PETROS. Sei ruhig!

ALEXANDROS. — aber jetzt ist's genug; genug und genug — eine Frau!

PETROS. (*ruhig*) Ja. S e i n e Frau, Junge. Und es ist das Beste so, von allem das Beste, glaube mir das . . .

10   (*Musik*)

ALEXANDROS. Man gab den beiden noch etwas mehr als fünf Minuten Zeit. Nikos trank, und Marulja trank, und sie war es nicht gewöhnt. Als sie hinausgingen, waren sie beide betrunken. Sie hatte den Weinschlauch über dem
15   dicken Bauch, und er blies die Flöte, und sie schlug den Takt auf dem Weinschlauch dazu. Es war ein Aufzug von unsagbarer Lächerlichkeit, von einer Lächerlichkeit, die das Herz zerreißt . . .

Ich bin desertiert; gleich am Tage darauf. Alka wartete
20   auf mich. So lebe ich noch, — von uns zwanzig als einziger. Aber ich kann nicht vergessen. Nichts davon kann ich vergessen. Auch nicht, wie man sie verscharrt hat; unter den Bäumen, an denen man sie aufgehängt hatte. Sie unter der Linde und ihn unter dem Eichbaum. Ich gehe noch manch-
25   mal zu ihrer Hütte hinauf. Die Äste der Linde und der Eiche verschränken sich, wenn der Wind sie zaust; und im Herbst, wenn das Laub raschelt, klingt es wie ein leises Schimpfen. Und wie ein Weinen und Lachen zugleich.

(*Schlußmusik: Flöte*)

Questions

1. In was wurden Philemon und Baukis, der Sage nach, nach ihrem Tode verwandelt?
2. In welchem Ton unterhalten sich Nikolaos und Marulja miteinander?
3. Wie nennt Nikolaos den Krieg?
4. Wer sind die Jermani?
5. Wo und vor wem war Alexandros verborgen?
6. Wessen Frau ist Alka?
7. Wen beherbergt Nikolaos in seinem Hause?
8. Wozu trinkt Nikolaos mit den Partisanen Wein?
9. Für wen hält Petros den Nikolaos?
10. Was verrät der Gefangene der Marulja?
11. Welcher Gefahr setzt sich Nikolaos aus?
12. Worüber sprechen Marulja und Alka?
13. Worum bittet Alka den Petros?
14. Wer stirbt im Hause des Nikolaos?
15. Was gelingt dem Alexandros?
16. Als was betrachtet Nikolaos Freund und Feind in seinem Haus?
17. Ist Nikolaos ein Lügner und Petros ein Mörder?
18. Wen hat man vor der Kirche erschossen?
19. Wozu trinkt Nikolaos Wein?
20. Wie nimmt Nikolaos von seiner Frau Abschied?
21. Was tut Marulja?
22. In welchem Aufzug geht das Ehepaar in den Tod?

Vocabulary

This vocabulary consists of a main list and a list of principal parts of strong and irregular verbs.

In the main vocabulary, all strong verbs are marked by a dagger (†). Verbs with a separable prefix are divided by a hyphen after the prefix. When a verb requires the auxiliary **sein**, (**ist**) is indicated in parentheses.

The plural is indicated for all nouns where it exists. The genitive singular is given in parentheses for all masculine and neuter nouns when it is not –(e)s.

This vocabulary omits the most common words found in basic textbooks, roughly corresponding to a list of the most frequent 500 words found in Ryder and McCormick's *Lebendige Literatur*.* The student taking an intermediate German course should know them. Further omissions are:

1. definite and indefinite articles
2. cardinal and ordinal numbers
3. compounds whose meaning is clear
4. possessive adjectives
5. nouns ending in –e that are derived from adjectives
6. nouns ending in –keit, –heit, –ung, when the meaning is obvious
7. diminutives ending in –chen or –lein
8. words that can easily be recognized because of their obvious English cognates

---

* Frank G. Ryder and E. Allen McCormick, *Lebendige Literatur, Deutsches Lesebuch für Anfänger* (Boston, Houghton Mifflin Company, 1960)

Abbreviations

adj.	adjective	*sl.*	slang *or* familiar
adv.	adverb		language
dat.	dative	*s.o.*	someone
gen.	genitive	*s.th.*	something
o.s.	oneself	*vulg.*	vulgar
pl.	plural	*w.*	with

A

ab off, down, away
ab-berufen † call away
ab-brechen † cease
ab-brennen † destroy by fire
ab-drücken steer away, push away
ab-fallen † (ist) fall off, slope
der Abgrund, ⁼e abyss, precipice
der Abhang, ⁼e slope
ab-hängen (von) † depend (on)
ab-hauen *sl.* take off
ab-holen pick up
ab-laufen † expire
ab-lehnen reject
die Abrechnung, -en accounts
ab-reißen † break off
abseits aside
ab-setzen leave off, drop (s.th. *or* s.o.)
die Absicht, -en intention
der Abstieg, -e descent
ab-ziehen † march off; withdraw
acht: —-geben (auf) † pay attention (to); sich in — nehmen † watch out, be on one's guard
achten (auf) pay attention (to)
die Achtung respect, regard
ahnen suspect, be aware
ähnlich similar
die Akte, -n document, file
albern silly
allerdings to be sure
alles all
allesamt altogether
allmächtig almighty
allmählich gradually
allzu sehr too much
allzuviel too much
altmodisch old-fashioned
das Amt, ⁼er office, profession
an-beißen † bite
ändern change

anders otherwise, different(ly)
die Änderung, -en change
an-deuten give to understand
die Andeutung, -en suggestion
an-fangen † begin
an-fassen take hold of, grasp
an-geben † declare
an-gehen † concern
die Angel, -n fishhook
angeln angle, fish
angemessen appropriate
Angenehm. How do you do.
angenommen accepted
die Angewohnheit, -en habit
der Angriff, -e attack
ängstigen frighten; sich — be frightened
ängstlich anxious, apprehensive
an-haben † wear
an-halten (†) stop
der Anisschnaps, ⁼e anise brandy
an-klammern cling (to)
an-kommen † (ist) arrive; — auf depend on, be of importance
die Ankunft, ⁼e arrival
an-lügen † tell s.o. a lie
annehmbar acceptable
an-nehmen † assume, suggest
die Anordnung, -en order
an-rufen † call (s.o.)
an-rühren touch
an-schauen look at
an-schreien † shout at
die Ansicht, -en opinion
die Ansichtskarte, -n picture postcard
die Anstalt, -en institution
ansteckend catching
anstrengen exert
an-wenden (†) apply, use
anwesend present
an-ziehen † put, draw on; sich — get dressed
an-zünden ignite
der Ärger annoyance, anger
ärgerlich annoying

sich ärgern be angry
der Arm, –e arm
die Armut poverty
der Arzt, ⸚e physician
der Ast, ⸚e limb, branch
atemlos breathless
atmen breathe
auf: — und ab up and down; —
   ... zu up to, toward
aufeinander one upon another
auf-fallen † (ist) attract attention,
   strike
auffällig conspicuous, ostentatious,
   noticeable
auf-fangen † catch
auf-fordern request
aufgeräumt cheerful, merry
aufgewühlt excited, wild
auf-halten † delay, detain
auf-hängen † hang
auf-hören cease
auf-klären clarify, inform, eluci-
   date, explain
auf-knacken break open
auf-machen open (up); sich —
   set out
aufmerksam attentive
auf-passen watch (out), pay attention
auf-rechnen count up, settle
   accounts
auf-regen excite
der Aufsatz, ⸚e essay, composition
auf-stehen † (ist) rise
auf-stoßen † push open (a door)
auf-tauchen (ist) appear
auf-treten † kick open
das Auftreten appearance
auf-wecken wake up
auf-weichen soften
aufgeweicht muddy
der Aufzug, ⸚e procession
aus-blenden fade out
der Ausbruch, ⸚e outburst
der Ausdruck, ⸚e expression
der Ausflug, ⸚e excursion, trip

aus-fragen interrogate, quiz
sich aus-geben für † pass o.s. off
   for
aus-gehen † (ist) end, go out
ausgerechnet just, exactly
ausgezeichnet excellent
aus-halten † stand
sich aus-kennen † be quite at
   home, be versed
aus-klingen † fade out
die Auskunft, ⸚e information
das Ausland foreign country
der Ausländer, – foreigner
aus-liefern hand over, surrender
aus-löschen extinguish, erase, put
   out
aus-machen matter; harvest, dig
aus-quetschen squeeze out
aus-reißen † (ist) escape
aus-ruhen repose
aus-rüsten equip
aus-schalten eliminate
aus-schließen † exclude
aus-schreiten † (ist) stride
außen outside
außerdem moreover
außerhalb (w. gen.) beyond, outside
außerordentlich exceptional
aus-setzen expose
aus-spucken spit
aus-üben practice, hold (an office)
aus-weichen † (ist) evade, dodge
auswendig by heart
aus-zeichnen mark (s.o.) out, distinguish (s.o.)
der Auszug, ⸚e abstract, summary
das Aveläuten Angelus (bell)

B

der Bach, ⸚e brook
das Backsteingebäude, – brick
   building
das Bad, ⸚er bath

der Bagger, – dredge
das Baggerloch, ⸗er hole made
   by dredge
bald ... bald now ... now
der Balken, – beam
die Bande, –n gang
die Bank, ⸗e bench
der Bankier, –s banker
die Barmherzigkeit charity
die Bartstoppel, –n stubble
der Bauch, ⸗e belly
der Bauchschuß (–sses), ⸗e belly
   wound
bauen build, cultivate
beachten take notice of
der Beamte (–n), –n official,
   officer
bedingen imply
bedrohen menace, threaten
bedürfen † (w. gen. of thing needed)
   need
beenden end, finish
der Befehl, –e order, command
befreien set free
befreundet sein be friends
befürchten fear
begegnen (ist) encounter, meet
begehen † commit
beginnen † begin
begleiten accompany
begreifen † comprehend
begrenzen limit
begründen justify
behaart hairy
behalten † keep
beharrlich persistent
behaupten maintain
behende nimble, agile
die Behörde, –n administrative
   authority
bei-behalten † retain
bei-bringen † make clear
beichten confess
beinah(e) almost
beiseite aside
bei-tragen † contribute

bekannt known
belanglos insignificant
belasten incriminate
belügen † tell a lie to
sich bemühen take pains, try hard
die Benützung use
beobachten observe, watch
berauben rob
berechtigen justify
bereiten prepare, cause
bereits already
der Bericht, –e report
berichten report
der Beruf, –e profession, job
beruhen be based, depend
beruhigen pacify, quiet, soothe
die Besatzung, –en occupying
   force, crew
beschäftigen keep busy
beschießen † shoot at
beschließen † decide
beschreiben † describe
beschwichtigen appease, soothe
der Besitz, –e possession
besonder special; –s especially
besorgt worried
bespringen † mount, cover
bestärken strengthen
bestätigen confirm
bestehen †: — aus consist of; —
   auf insist on
bestimmen determine
der Besuch, –e visit, company
betäuben knock out
sich beteiligen take part
beten pray
betonen emphasize
betrachten regard, consider, observe
betrübt sad
betrunken drunk
sich beugen bend
beunruhigen disturb, trouble,
   worry
die Beute spoil, loot
der Beutel, – bag

bevor before; --stehen † be about to happen

bewachen guard, watch

sich bewegen move

der Beweis, -e proof

beweisen † prove

sich bewerben (um) † apply (for)

bewundern admire

bezahlen pay, compensate

bieder upright

biegen † bend, turn

das Biest, -er beast, brute

bieten † offer, bid

die Bigamie bigamy

bilden constitute, form, educate, train

bis . . . zu up to

bisher until now, previously

bißchen: ein — a little

bissig biting, sarcastic

bitten † beg, plead, request

die Bitterkeit bitterness

blasen †: die Flöte — play the flute

blaß pale

blau blue

blenden change scenes (in a radio play)

der Blick, -e glance, look

blicken look, glance

blind blind, tarnished (window)

bloß mere(ly), bare(ly)

blühen bloom

das Blut blood

bluten bleed

die Blüte, -n blossom

der Bock, -e buck, bugger

das Boot, -e boat

der Bootsrand, -er rim of boat

der Bordarzt, -e ship's doctor

boshaft malicious

brav good, well-behaved

der Bretterverschlag, -e wooden shed

bringen † bring

der Brocken, - crumb, scrap, fragment

brüchig brittle, cracked

die Brücke, -n bridge

brummen grumble

die Brust, -e chest

das Bündel, - bundle

bunt gay, of many colors

der Bursch (-en), -en fellow, youth

der Busch, -e shrub

C

der Chef, -s chief, boss

D

dabei present, near it

das Dach, -er roof

damals then, at that time

die Dame, -n lady

danach afterwards, for it

Dänemark Denmark

dankbar grateful, thankful

daran of it, about that

d(a)rauf thereupon

dar-stellen represent

darüber about that, over

darunter underneath, among

davon of it; --rinnen † run away

dazu in addition, for that purpose

dazwischen in between there

die Decke, -n ceiling, cover

decken cover

der, die, das Deinige yours

dennoch nevertheless

derselbe same

desertieren (ist) desert

deshalb therefore

desto the, so much the

deuten interpret, point (out)

dicht close-set, dense, close by

dichten write (poetry)

der Dichter, - poet

die Dichtung, -en poetry, creative writing

der Diebstahl, ≃e burglary
die Diele, –n vestibule
der Diener, – servant
der Dienst, –e service
der Dienstag, –e Tuesday
der Donnerstag, –e Thursday
drall buxom
dran = daran of it
drängen press, force
drauf-gehen † (ist) *sl.* die, kick
  the bucket
der Dreck dirt, filth, mud
der Dreckkrieg, –e dirty war
sich drehen turn
das Dreieck, –e triangle
drein-schlagen † strike
dringen † (ist) penetrate
dringend urgent
drinnen within, inside
drohen threaten
dröhnend rumbling
die Drohung, –en threat, menace
drüben over there
der Druck, ≃e pressure
drucken print
drücken press, squeeze
drum = darum therefore
der Duft, ≃e fragrance
dumm stupid, foolish
durchaus by all means
durch-dringen † (ist) penetrate,
  pierce
durch-führen carry out
durch-geben † inform
durch-kämmen search thoroughly
durch-machen experience, live
  through
der Durchzug, ≃e passage
das Dutzend, –e dozen

E

ebenfalls likewise
echt genuine
ehe before

die Ehe, –n marriage
eher rather, sooner, before
ehemalig former
die Ehre, –n honor
ehren honor
ehrlich honest, sincere
das Ei, –er egg
die Eiche, –n oak
der Eid, –e oath
der Eifer zeal, eagerness
eigensinnig obstinate, stubborn
eigentlich actual, real
die Eile haste
eilen (ist) hasten
sich ein-bilden fancy, imagine
ein-blenden go into a new scene
  gradually
ein-brechen † (ist) break into
der Einbrecher, – burglar
der Einbruch, ≃e burglary
eindeutig unequivocal
eindringlich insistent
das Einerlei monotony
ein-fallen † (ist) occur to
ein-gehen † (ist) die (*animals*)
ein-laden † invite, load
ein-lassen † let in
ein-mengen interfere
ein-reden persuade, insinuate,
  convince (s.o.)
einsam alone, lonely
ein-schlafen † (ist) fall asleep
ein-setzen strike up (*music*)
ein-sperren confine
der Einspruch, ≃e objection, protest
einst once
ein-stellen put in, adjust
die Einstellung, –en attitude
ein-wandern (ist) immigrate
das Eisen, – iron
die Eisenbahn, –en railway
die Eitelkeit vanity, conceit
der Empfang, ≃e reception
empfangen † receive, conceive (a
  child)

empfehlen † recommend
empfinden † feel, sense
empfindlich sensitive
die Emphase emphasis
das Ende, –n end
endgültig final, conclusive
endlich finally
entdecken discover
entfernen remove, place at a distance
die Entfernung, –en distance
entführen kidnap
entgehen † (ist) escape
enthalten † contain
entlang along
entleeren empty out
entscheiden † decide
sich entschließen † make up one's mind
sich entschuldigen excuse o.s.
das Entsetzen horror
entsetzlich horrible, terrible
sich entsinnen † remember
entsprechen † correspond
entstehen † (ist) arise, originate
enttäuschen disappoint
die Enttäuschung, –en disappointment
entweder . . . oder either . . . or
entwickeln develop
entwischen (ist) escape
erbittert bitter
der Erfolg, –e outcome, success
erfüllen fulfill, accomplish
ergeben † yield, tolerate
ergebnislos fruitless
ergehen †: etwas über sich — lassen endure patiently
die Ergreifung, –en seizure
erhalten † receive, maintain
erinnern remind; sich — remember
die Erinnerung, –en remembrance, memory
erkennen † recognize
erklären explain, declare

erkranken (ist) fall sick
erlauben allow
erläutern explain
erleben experience, witness
erledigen settle; kill
ermorden murder, assassinate
ernähren nourish
ernst serious
Ernst: im — in all seriousness
ernsthaft serious
ernüchtert sober
sich erregen get excited
erreichen attain, reach
ersaufen † (ist) sl. drown
erscheinen † (ist) appear
die Erscheinung, –en appearance, phenomenon
erschießen † shoot (dead)
erschöpft exhausted
erschrecken † (ist) be alarmed
ersparen spare, save
erstaunen astonish
erstickt suffocated
ertragen † bear, endure
ertrinken † (ist) drown
erwachen (ist) awaken
die Erwägung, –en reflection
erwähnen mention
erwarten expect, wait for
erwidern reply
der Erzähler, – narrator
die Erzählung, –en tale, story
erziehen † educate, train
der Esel, – donkey, ass
das Essen food, meal
etliche pl. several
etwa adv. say, perhaps, approximately
ewig eternal
die Ewigkeit, –en eternity

F

die Fabrik, –en factory
das Fach, ⸗er shelf, drawer

fähig capable
der Fall, ⸗e case
die Falle, –n trap
fallen † (ist) fall
falls in case
die Falltüre, –n trap door
die Falte, –n fold
falten fold
sich fangen † pull o.s. together
faul lazy, rotten
die Feder, –n feather, pen
feierlich solemn
feiern celebrate
das Feingefühl sensitivity
feixen *sl.* grin
der Fels (–en), –en rock, cliff
die Felswand, ⸗e sheer face of a cliff
die Ferien *pl.* vacation(s)
das Ferngespräch, –e long-distance call
fertig-werden † (ist) master
fesseln shackle, tie up
das Fest, –e festival, celebration
fest-halten † detain, seize
feucht moist
der Finanzmann, ⸗er financier
finden † find
finster dark
der Firlefanz, –e trash, nonsense
fischen fish
der Fischzug, ⸗e catch, haul
flach shallow
die Flasche, –n bottle
der Fleck, –e; der Flecken, – spot
fleißig industrious
flicken mend, patch
der Flieder lilac
die Fliege, –n fly
fliehen † (ist) flee
fließen † (ist) flow
flink nimble, spry
das Floß, ⸗e raft
die Flöte, –n flute
fluchen swear, curse

die Flucht, –en flight, escape
der Flugplatz, ⸗e airport
das Flugzeug, –e airplane
der Flur, –e entrance hall
der Fluß (–sses), ⸗sse river
flüstern whisper
die Flut, –en (rising) tide
die Folge, –n consequence, sequence, sequel
folgsam obedient
fordern demand
das Fragespiel, –e quiz
fragwürdig questionable
der Frauenstrumpf, ⸗e woman's stocking
frech impudent
die Freiheit, –en freedom
freilich to be sure, of course
der Freitag, –e Friday
der Fremde (–n), –n stranger, foreigner
fressen † eat, devour
sich freuen be glad; — auf look forward to
freundlich friendly, kind
der Friedhof, ⸗e cemetery
frieren † (ist/hat) freeze, be cold; mich friert I am cold
frisch fresh, crisp
die Frist, –en appointed time
fröhlich merry, glad, gay
frösteln shiver
die Frühe dawn, early morning
der Frühling, –e spring (*season*)
das Frühstück, –e breakfast
der Funk radio
furchtbar terrible, fearful
der Fußboden, ⸗ floor
das Futter feed, fodder
füttern feed

G

die Gabel, –n fork
der Gang, ⸗e gait; corridor

gar nicht not at all
der Gartenschlauch, ⁼e garden
  hose
die Gasse, –n narrow street
gastfreundlich hospitable
der Gaumen, – palate
gebären † give birth
das Gebäude, – building
gebieten † command, rule
das Gebirge, – mountains
geboren born; — haben give
  birth
das Gebot, –e commandment
der Gebrauch, ⁼e usage, use
das Gedächtnis (–ses), –se
  memory
der Gedanke (–ns), –n thought,
  idea
die Geduld patience
die Gefahr, –en danger
der Gefährte (–n), –n companion
der Gefangene (–n), –n prisoner,
  captive
das Gefangenenlager, – prison
  camp
die Gefangenschaft captivity
das Gefängnis (–ses), –se prison,
  imprisonment
der Gefechtslärm battle noise,
  noise of fighting
das Gefühl, –e feeling
gefühlvoll sentimental
die Gegend, –en region
der Gegenstand, ⁼e object
der Gegenstoß, ⁼e counterattack
das Gegenteil, –e opposite, contrary
die Gegenwart present, presence
geheim secret
das Geheimnis (–ses), –se secret
geheimnisvoll secretive, mysteri-
  ous
gehen um † (ist) be a matter of,
  concern
die Geisel, –n hostage
der Geistliche (–n), –n priest

das Geknall detonation, shooting
geladen loaded
die Gelassenheit composure
gelaunt: gut — in good humor
die Gelegenheit, –en opportunity
gelingen † (ist) succeed
gelten † pass for, be valid, concern
gemeinsam together, mutually
das Gemüse, – vegetable(s)
genesen † (ist) recover
sich genieren feel embarrassed
genießen † enjoy
genügend sufficient
gerade(n)wegs directly, straight
geradezu so to speak, almost
das Gerät, –e tool
geraten † (ist) fall
das Geräusch, –e noise
geräuschvoll noisy
gereizt irritated, edgy
das Gericht, –e court (of law); dish
  (of food)
geringsten: im — in the least
das Gerippe, – skeleton
der Geruch, ⁼e odor, scent
geschäftlich relating to business
gescheit clever; nicht — crazy
das Geschenk, –e present, gift
der Geschmack, ⁼e taste, flavor
die Geschoßgarbe, –n cone of fire
die Geschwindigkeit, –en speed
das Gesetz, –e law
gespannt sein be anxious
das Gespräch, –e conversation
das Geständnis (–ses), –se confes-
  sion, admission
getrost confidently
die Gewalt, –en power, force
gewalttätig violent
das Gewehr, –e rifle, gun
der Gewehrverschluß (–sses),
  ⁼sse breechlock
gewinnen † win
sich gewöhnen (an) accustom o.s.
  (to)
die Gewohnheit, –en habit, custom

gewohnt/gewöhnt customary, habitual

das Gewürz, −e spice, seasoning

gezwungen compelled

gießen † pour

der Gipfel, − summit

der Glanz radiance, splendor

glänzen shine, be radiant; −d brilliant

gläsern of glass

glatt smooth, slippery

glaubhaft credible

gläubig devout, believing

gleichgültig indifferent

die Gleichung, −en equation

das Glied, −er limb, member

die Glocke, −n bell

gluckern gurgle

glücklich happy, fortunate

das Glücksspiel, −e gamble

die Glühbirne, −n electric bulb

die Gnade, −n grace, pardon

der Goldregen laburnum

der Gott, ⸗er god

die Gottesgebärerin, −nen Mother of God

die Gottheit, −en divinity

das Grab, ⸗er grave

graben † dig

die Gradlinigkeit straightforwardness

das Gras, ⸗er grass

der Grasaffe (−n), −n young fool

gräßlich terrible

grau gray

greifen † seize

die Grenze, −n boundary, border, limit

der Grenzfall, ⸗e borderline case

die Grenzstation, −en border station

griechisch Greek

grimmig grim, wry

das Grinsen grin

das Gros main force

Groß-(mutter, vater, eltern) grand-(mother, father, parents)

die Großstadtstraße, −n big-city street

die Grube, −n pit

grün green

der Grund, ⸗e ground, bottom; valley; reason; im −e basically

die Grundlinie, −n base (line), ground line

grundsätzlich fundamental, based on principle

der Grünschnabel, ⸗ greenhorn

grunzen grunt

die Gruppe, −n group

die Gurgel, −n throat

das Gut, ⸗er property, estate; pl. goods

gütig gracious

gutmütig good-natured

H

das Haar, −e hair

der Hafen, ⸗ harbor

die Haft custody, imprisonment

hager haggard

die Hälfte, −n half

der Halt, −e hold, support

halten †: — auf aim at; — für consider

die Haltung, −en carriage; bearing, posture

die Hand, ⸗e hand

der Handel, ⸗ trade, business, deal

handeln trade, deal; treat

die Handgranate, −n hand grenade

die Handlung, −en action

hängen † hang

harmlos harmless

das Harz, −e resin

der Haß hatred

hassen hate

hastig hasty
hauchen breathe; whisper
hauen hew, cut, strike
der Haufe, -n; der Haufen,- crowd, pile
häufig frequently
hausen dwell, live
die Haushälterin, -nen housekeeper
die Haustür, -en front door
die Haut, =e skin, hide
heftig violent
der Hehler, - concealer
heilig sacred
das Heiligtum, =er sanctuary
die Heimat, -en home(land)
heim-kehren (ist) come home
die Heirat, -en marriage
heiß hot, ardent
der Held (-en), -en hero
herauf up
herauf-kommen † (ist) become louder (*music*)
heraus out
heraus-bekommen † find out
heraus-hauen *sl.* rescue, free
heraus-quetschen squeeze out
sich heraus-stellen turn out
herb harsh, bitter, dry
der Herbst, -e autumn
herein in
herein-brechen † (ist) set in, break in
herein-fallen † (ist) fall into; come to grief
herein-legen *sl.* take (s.o.) in
her-geben † give, hand
der Hering, -e herring
her-rennen † (ist) run along
herrlich splendid, lordly
her-stellen manufacture, produce
herum-bohren drill; pester, worry
herum-laufen † (ist) run about
herum-reißen † spin around
herum-schleichen † (ist) sneak around

herum-tänzeln skip about
hervor-springen † (ist) leap forward
herzlich cordial, sincere
hetzen rush
das Heu hay
der Heuchler, - hypocrite
heulen howl, cry
hier here; -her here, this way; -zuland in this country
hiesig local
hilflos helpless
hin there; — und her back and forth
hinaus-jagen hunt out, chase
(darauf) hinaus-laufen † (ist) come up (to)
hindern hinder
hinein into (it)
hinein-hören listen
sich hin-geben † give one's mind to
hin-rieseln trickle over
die Hinsicht, -en respect
hinten behind, at the back
der Hintergrund, =e background
der Hinterhalt, -e ambush
hinterhältig malicious
hinterlassen † leave behind
hinterm = hinter dem behind
der Hintern, - *vulg.* behind, backside
hinüber across, over
hinunter-steigen † (ist) climb down
hinweg-kommen † (ist) get over
sich hinweg-setzen ignore
der Hinweis, -e hint
hoch-kommen † (ist) mount up
hocken *sl.* stay
hoffentlich I hope, it is to be hoped
die Hoffnung, -en hope
höflich polite(ly)
der Höflichkeitsbesuch, -e courtesy call
der Hohlweg, -e narrow pass, gorge

die Hölle, –n hell
der Holunder, – elder (*plant*)
die Hose, –n pants
hübsch pretty
das Huhn, ˮer chicken
die Hundeschnauze, –n dog's
nose, muzzle
die Hütte, –n hut

I

die Idee, –n idea, notion
identifizieren identify
identisch identical
Ihretwegen on your behalf
immerhin for all that, after all
die Immerjungfrau, –en eternal
virgin
immer wieder again and again
immerzu constantly, repeatedly
die Inbrunst ardor
indem while, as, by (doing)
der Inhalt content(s)
injizieren inject
innen inside
innerhalb within
die Insel, –n island
das Interesse, -n interest
inzwischen meanwhile
irgendein any, some
irren err, wander off; sich — be
mistaken
der Irrtum, ˮer error

J

die Jagd, –en hunt; auf die —
gehen go hunting
jäh sudden
jahrelang for years
der Jammerlappen, – piteous
figure
je ... je, je ... desto, je ... umso
the ... the

jedenfalls in any case
jedesmal every time
jedoch however
jemals ever
jetzt now
jeweils at any given time
die Jugend youth
jung young
der Junge (-n), –n boy
die Jungfrau, –en virgin

K

kalkulieren calculate
der Kamerad (-en), –en com-
rade, companion
die Kapelle, –n chapel
der Kaplan, ˮe chaplain, assistant
priest
die Kapsel, –n case, box
kaputt-machen *sl.* ruin
die Karte, –n card, ticket; map
die Kartoffel, –n potato
kaum scarcely
kehren (re)turn; sweep
keineswegs not at all
der Keller, – cellar
die Kelter, –n wine press
kennen-lernen get to know
der Kerl, –e guy
das Kinn, –e chin
das Kino, –s cinema
der Kirchendiener, – sexton
klagen lament
klappen *sl.* go well
klären clarify
das Kleid, –er dress; *pl.* clothing
kleiden clothe, dress
die Kleidung, –en clothing
klemmen jam
die Kletterei, –en climbing
klettern (ist) climb, scramble
die Klingel, –n (door)bell
klingeln ring
klingen † (nach/wie) sound (like)

die Klippe, –n rock
klopfen knock
klug clever
knallen bang, pop
knapp short, scanty
knebeln gag
das Knie, – knee
knurren grumble, grunt, growl
kochen cook
die Kolonne, –n column
der Koloß (–sses), –sse colossus
das Komische comical
der Komplize (–n), –n accomplice
kompliziert complicated
der König, –e king
kontern repeat aggressively
das Konto, –ten account
der Kontoauszug, ⸗e statement of account
kontrollieren control, check
kostbar valuable
kotzen *vulg.* vomit, spit; zum Kotzen *vulg.* enough to make one sick
der Kotzer, – *vulg.* puker
der Kragen, – collar
die Krämersfrau, –en grocer's wife
kränken hurt
das Krankenhaus, ⸗er hospital
(sich) kräuseln curl
das Kraut, ⸗er herb
der Kreis, –e circle
krepieren (ist) *sl.* die
das Kreuz, –e cross
das Kreuzverhör, –e cross-examination
kriechen † (ist) crawl, creep
Krieg führen wage war
kriegen get, catch
der Kriegsgefangene (–n), –n prisoner of war
der Kriminalist (–en), –en authority on criminal law
der Kriminalroman, –e detective novel
krumm crooked, bent

die Küche, –n kitchen
der Kuchen, – cake
die Kuh, ⸗e cow
kühn bold
sich kümmern (um) pay attention (to)
die Kunde, –n news
kündigen resign
die Kunst, ⸗e art
der Künstler, – artist
die Kurve, –n curve
der Kuß (–sses), ⸗sse kiss
küssen kiss
die Kutte, –n cowl

L

lächeln smile
lächerlich ridiculous
der Laden, ⸗ store
die Lage, –n position, situation
das Lamm, ⸗er lamb
lang long
lange for a long time
der Längengrad, –e degree of longitude
längst long since; –ens at the most
langweilig boring
der Lärm noise
lästig troublesome, disagreeable
der Lateinunterricht Latin instruction
das Laub foliage
der Lauf, ⸗e course
lauschen listen
der Laut, –e sound
läuten ring
lauter merely, nothing but, pure
lebendig alive
die Lebensmittel *pl.* food
die Lehne, –n back (*of seat*)
sich lehnen lean
der Leib, –er body
die Leiche, –n corpse
leid: es tut mir — I'm sorry

leiden mögen † like
die Leidenschaft, –en passion
leider unfortunately
leisten accomplish, afford
lesen † read; gather
leuchten shine, gleam, throw light
leugnen deny, disavow
lieben love
lieb haben † be fond of
lieber preferably
liefern deliver, supply, hand over
liegen an (w. dat.) be due to, interested in
die Linde, –n lime tree, linden
die Linie, –n line
die Liste, –n list
loben praise
das Loch, ≚er hole
locken lure
der Löffel, – spoon
logisch logical
der Lohn, ≚e wages; reward
die Lore, –n lorry
los loose, ahead; going on, wrong;
  rid of; was ist —? what's wrong?
  what's up?
löschen extinguish, switch off
lösen solve
los-fahren † (ist) start
los-werden † (ist) get rid of
die Lücke, –n gap
lückenlos complete
die Lüge, –n lie
die Lust, ≚e desire, pleasure; —
  haben care to, want to
lustig jolly
der Lüstling, –e debauchee
lyrisch lyrical

M

mächtig mighty
das Mädel, – girl, lass
der Magen, ≚ or – stomach
mager skinny

die Mahlzeit, –en meal
der Makel, – blemish
malen paint
manchmal sometimes
der Mangel, ≚ lack
mangeln be lacking
der Männerfuß, ≚e man's foot
das Mannsbild, –er sl. male
die Mark, – mark (about 25 cents)
der Markt, ≚e market
das Maschinengewehr, –e
  machine gun
der Massenmörder, – mass murderer
massig stout, bulky, solid
die Mauer, –n (outside) wall
das Maul, ≚er mouth (of a beast)
der Maulesel, – ass
das Medikament, –e medicine
das Mehl, –e flour
mehrere several
meiden † avoid
meinetwegen for my sake, for all
  I care
die Meinung, –en opinion
der Meister, – master
das Meisterstück, –e masterpiece
die Meldung, –en announcement
die Menge, –n crowd, multitude,
  (large) amount
merken: — an tell by; sich —
  remember
merkwürdig strange
messen † measure
die Messerschneide, –n knife-
  edge
der MG-Stoß, ≚e machine-gun
  shot
mieten rent
das Mikro(phon), –e microphone
das Milchfaß (–sses), ≚sser milk
  cask
millionenfach millionfold
minder less
mindestens at least
das Mißtrauen suspicion, mistrust

mißverstehen † misunderstand
miteinander with one another
mit ein(em)mal suddenly
das Mitglied, –er member
mitsamt together (with)
mit-teilen tell, communicate, impart
das Mittel, – means, remedy
der Mittwoch, –e Wednesday
möglicherweise possibly
der Mönch, –e monk
der Montag, –e Monday
der Mord, –e murder
der Mörder, – murderer
das Motiv, –e motive, theme
motivieren justify
die Mühe, –n effort
mürrisch disgruntled
die Muschel, –n shell
die Muttererde native soil

die Nebenstraße, –n side street
der Neffe (–n), –n nephew
der Neid envy
sich neigen incline, bend
nett nice
neugierig curious, inquisitive
neulich recently
die Nichte, –n niece
nicken nod
nieder low
niemals never
nirgend(s), nirgendwo nowhere
nochmals once more, again
die Not, ⸚e need; distress
der Notar, –e notary
nötig necessary
die Notiz, –en note
notwendig necessary
die Nummer, –n number
der Nutzen, – use
nützen be of use

N

na well, come, now; — also! then!
der Nachbar, –n neighbor
nach-denken † ponder, think about
die Nachforschung, –en investigation
nachher afterwards
nach-lassen † cease; give in
nach-rennen † (ist) run after (s.o.)
die Nachricht, –en report, news
nach-sehen † examine, check
nächst next; –liegend nearest at hand
nach-weisen † prove
nackt naked
die Nähe neighborhood
die Nahrung nourishment
nämlich adv. namely; adj. same
naß wet
natürlich naturally
der Nebel, – fog
nebenan next door, close by

O

die Oberen pl. superiors
obgleich although
die Oblate, –n consecrated wafer
das Obst fruit
obwohl although
der Ofen, ⸚ stove
die Ofenbank, ⸚e bench by the stove
offenbar obvious
öffentlich public
die Öffentlichkeit public
öffnen open
das Ohr, –en ear
das Öl, –e oil
das Opfer, – sacrifice, offering; victim
das Opferfeuer, – sacrificial fire
ordentlich orderly, properly
die Ordnung, –en order
der Orientierungssinn, –e sense of direction

P

packen pack
das Paket, –e package
der Panzer, – tank
das Paradies, –e paradise
parken park
der Partisane (–n), –n partisan
passen fit
die Patrouille, –n patrol
persönlich personal
die Pfarre, –n parish
der Pfarrer, – priest
das Pfarrkind, –er parishioner
der Pfiff-, –e whistle
die Pfiffigkeit slyness
die Pflanze, –n plant
das Pflaster, – pavement
pflegen take care of, be used
  (to)
die Pflicht, –en duty
der Pflug, ⸚e plow
die Phantasie, –n fantasy
der Plan, ⸚e plan
plündern rob
pochen knock
die Polizei police
der Polizist (–en), –en patrol-
  man
der Popo, –s sl. behind
die Post, –en mail, post, letters
postieren post
die Postkarte, –n post card
postlagernd General Delivery
  (mail)
die Praktik, –en practice; pl.
  tricks
der Prälat (–en), –en prelate
präzis exact
predigen preach
preis-geben † give up, sacrifice
der Priester, – priest
die Priesterweihe, –n ordination
privat personal
die Prüfung, –en test
prügeln beat

Q

quälen torment
der Qualm smoke
die Quelle, –n source, spring
quer across
quietschen squeak

R

das Rad, ⸚er wheel
rapplig sl. cracked, crazy
rasch quick
rascheln rustle
rasen (ist) speed
sich rasieren shave (o.s.)
die Rasierklinge, –n razor blade
der Rat, ⸚e councilor
der Raub, –e pillage, looting
der Räuber, – robber, thief
der Rauch smoke
rauf = herauf up
rauh rough, harsh, rugged
der Raum, ⸚e room
raunen murmur, whisper
raus = heraus out
rauschen rustle
die Rechenschaft, –en account;
  — geben † answer for
rechnen reckon
die Rechnung, –en reckoning, bill
das Recht, –e law, justice
recht: — haben, — behalten †
  be right
rechtfertigen justify
rechtzeitig in time
Rede: zur — stellen call to
  account
reden speak
die Regel, –n rule
regieren rule
die Regierung, –en government
das Regiment, –er regiment
registrieren register
regnen rain

das Reich, –e realm, empire, king-
dom
reichlich very, rather, fairly
reif ripe, mature
die Reihe, –n row, series
rein = herein in
rein-legen take (s.o.) in
reisefähig able to travel
reisen (ist) travel
reizen stimulate, irritate, attract
reizend, reizvoll charming
der Religionsunterricht religious
instruction
der Rendant (–en), –en treasurer,
paymaster
rennen † (ist) run
das Requisit, –en requirement
resignieren resign
retten rescue
richten direct, arrange, set
straight, address
die Richtung, –en direction (of
compass)
riechen † smell
riesig immense
das Rindfleisch beef
riskieren risk
rostrot rust red
rötlich reddish
rüber = hinüber over (there)
der Rücken, – back
das Ruder, – oar
rufen † call, shout
ruhig calm(ly)
rühren stir, move
die Rührung, –en emotion
rumpeln rumble

S

der Sack, ÷e sack, bag
die Sackgasse, –n blind alley
säen sow
saftig lush
die Sage, –n legend

das Sakrament, –e sacrament
die Sakristei, –en vestry, sacristy
der Samstag, –e Saturday
die Sandale, –n sandal
sanft soft(ly)
der Sanitätsunterstand, ÷e field
dressing station
sauber clean
sauer sour, peevish(ly)
saufen † sl. drink heavily, guzzle
schade too bad
schaden harm
schaffen † make, create; transport
der Schafshintern, – vulg. hindquarters of sheep
sich schämen be ashamed
die Schar, –en flock, group
der Scharfsinn sagacity
der Schatten, – shade
der Schatz, ÷e treasure, sweet-
heart
die Scheibe, –n windowpane
scheiden † separate
scheinen † shine, seem
der Scheinwerfer, – car light
der Scheißkerl, –e vulg. sorry
specimen, lily-livered skunk
der Schenkel, – side
schenken give
der Scherz, –e joke, jest
das Schicksal, –e fate
schieben † shove
schief crooked, askew, wrong
schief-gehen † (ist) turn out badly
schießen † shoot
die Schießerei, –en repeated
shooting
der Schießprügel, – gun
schildern describe
das Schimpfen grumbling, insults,
complaints
der Schinken, – ham
schlachten slaughter
der Schlafanzug, ÷e pajamas
schlafen † sleep
die Schlagader, –n artery

die Schlange, –n snake
schlank slender
der Schlauch, ≔e hose
schleichen † (ist) creep, prowl
schleifen drag
schließlich finally, in conclusion
schlimm bad
der Schlitten, – sled
die Schlucht, –en gorge
der Schluck, –e sip
schlüpfrig slippery
der Schluß (–sses), ≔sse conclusion
schmal narrow
schmecken taste, taste good
der Schmerz, –en pain
schmerzhaft painful
schmutzig dirty
schnappen *tl.* catch
schnaufen puff
schneidend harsh
schneuzen blow (*the nose*)
der Schnitt, –e cut
der Schnupfen cold (*in the head*)
der Schnürstiefel, – laced shoes *or* boots
die Schonung, –en consideration, sparing
der Schöpfer, – creator
der Schrank, ≔e closet, cupboard
schrecklich terrible
schreien † cry (out)
die Schrift, –en handwriting
schroff steep
die Schublade, –n drawer
der Schuh, –e shoe, boot
die Schulaufgabe, –n homework
die Schuld, –en guilt, debt
der Schulkamerad (–en), –en schoolmate
die Schulter, –n shoulder
der Schuß (–sses), ≔sse shot
das Schußfeld, –er field of fire
schütteln shake
schütten pour
der Schutz protection

das Schweigen silence
schweigsam silent
der Schweiß sweat
die Schwiegertochter, ≔ daughter-in-law
schwierig difficult
schwitzen sweat, perspire
schwören † swear
der Sechziger, – sexagenarian
segensreich blessed, blissful
die Sehnsucht, ≔e longing
seitdem since
die Sekunde, –n second
selbstverständlich naturally, of course, self-evident
seltsam strange
senden † send
sich setzen sit down
seufzen sigh
die Sicherheit, –en security
sicher-stellen secure, place in custody
der Sieg, –e victory
sinnlos senseless
die Skepsis skepticism, doubt
der Skeptiker, – skeptic
sobald as soon as
das/die Soda carbonate of soda
sofort at once
sogar even
sogleich at once
solange as long as
sondern but
der Sonntag, –e Sunday
die Sorge, –n care, worry
sorgen worry, care; dafür — see about it
die Sorte, –n kind
soviel so much, as much
sowas something like that
sowie as soon as
sozusagen so to speak
der Späher, – lookout, scout
sparen save
die Sparkasse, –n savings bank
der Spaß, ≔e joke, fun; im — for fun

spazieren (ist) walk
der Spaziergang, ⸗e (pleasure) walk
der Speichel saliva
speien † vomit
spenden give, bestow
sperren lock in, jail
Spiel: aufs — setzen risk
das Spielzeug, -e toy
die Spitze, -n point, end
spleißig easy to split
sprechen † speak
sprengen sprinkle, water
springen † (ist) jump
der Sprung, ⸗e jump
spucken spit
die Spur, -en trace, track
spüren feel
der Staatsbürger, - citizen
das Stadium, -dien stage
der Stadtplan, ⸗e city map
der Stall, ⸗e stall, stable, barn
stammeln stammer
die Stärke, -n strength
stärken strengthen, invigorate
statt-finden † take place
staubgrau dusty gray
stehlen † steal
der Steinschlag, ⸗e rolling stones
der Sterbende (-n), -n dying man
die Sterbesakramente pl. last sacraments
der Stern, -e star
die Stille silence
stimmen be correct, tune (an instrument); das stimmt that's right
die Stimmung, -en mood
die Stirn, -en forehead
der Stock, ⸗e stick, cane; floor
stockfinster pitch-black
das Stockwerk, -e story (of building)
die Stola, -len stole, surplice
stolpern (ist) stumble
stolz proud

stören disturb
stoßen † push, shove
die Strafe, -n punishment, fine
strahlen gleam, radiate
der Strand, ⸗e beach, shore
streben strive
die Strecke, -n stretch, distance
strecken stretch
der Streich, -e joke, trick
streichen † stroke; cancel, erase
der Streit, -e strife, quarrel
streng severe, strict
das Stroh straw
der Strom, ⸗e stream
der Strudel, - whirlpool
die Stube, -n (living)room
studieren study
die Stufe, -n step
stur stubborn
stürzen (ist/hat) rush, fall headlong, plunge
stützen support
die Suche, -n search
die Sünde, -n sin
das Sündhafte sinfulness
der Suppenteller, - soup plate
sympathisch congenial

T

tabakgebräunt browned or tanned by tobacco
die Tagesreise, -n day's journey
der Takt, -e rhythm, measure
taktisch strategic
das Tal, ⸗er valley, dale
die Tanne, -n fir
die Tante, -n aunt
der Tanz, ⸗e dance
tapfer brave, valiant
die Tarnung, -en camouflage
die Tasse, -n cup
die Tat, -en deed
der Täter, - culprit
die Tätigkeit, -en activity
die Tatsache, -n fact

tatsächlich actual(ly), real(ly)
die Taube, –n dove
taugen be worth, be of use
(sich) täuschen deceive (o.s.)
die Täuschung, –en deception
das Täuschungsmanöver, – diversion
teilen divide
das Tempo, –pi speed
der Teufel, – devil; zum — damn it
theoretisch theoretically
die Tinte, –n ink
der Tisch, –e table, desk
das Titelblatt, ⁼er title page
todkrank mortally ill
der Ton ⁼e tone, sound
die Tonne, –n ton
der Totenkopf, ⁼e skull
die Träne, –n tear
träumen dream
trennen separate
die Treppe, –n stair(s)
der Tresor, –e safe
triumphieren exult, boast
trocken dry
trocknen (ist) dry
der Tropf, ⁼e simpleton
tropfen drip
der Trost comfort
die Tröstung, –en consolation, comfort
trotz in spite of; –dem in spite of that, nonetheless
trotzig obstinate, defiant
trübsinnig melancholy
das Tuch, ⁼er cloth
tüchtig able, efficient
der Turm, ⁼e tower
türmen pile up
typisch typical

U

übel bad, evil
üben practice

überdrüssig werden † (ist) get tired of
überein in accordance
überein-stimmen be in agreement
der Überfall, ⁼e attack, raid
überflüssig superfluous
überleben survive
überlegen ponder over
die Übermacht, –en superior power
übermannen overcome
überraschen surprise
übersehen † overlook
übersetzen translate
überwachen watch over, control
überwiegen † prevail
überzeugen convince
das U-Boot, –e submarine
übrig left over, remaining
übrigens by the way, apropos
um-bringen † kill
umgeben † surround
die Umgebung, –en surrounding(s)
um-legen sl. kill
der Umschlag, ⁼e change
(sich) um-sehen † look around
der Umstand, ⁼e circumstance
um-steigen † (ist) transfer
der Umweg, –e detour
um ... willen for the sake of
die Unannehmlichkeit, –en inconvenience
unbedeutend insignificant
unbequem uncomfortable
unerschütterlich calm
ungefähr approximately
ungeschoren unmolested
der Unglaube infidelity
das Unglück, –e misfortune, disaster
die Ungnade, –n disgrace
unmittelbar immediate
unsagbar ineffable
die Unschuld innocence
unseretwegen for our sake

der Unsinn nonsense
unterbrechen † interrupt
unterdrückt choked (*laughter*)
unterhalb below
unterhalten † entertain; sich —
talk, converse
der Unterricht instruction
unterscheiden † distinguish, dif-
ferentiate; sich — be different
unterschieben † ascribe to, shove
under
der Unterschied, –e difference
unter-schlüpfen find shelter
untersuchen investigate, search,
inspect, check
unterwegs on the way
sich unterziehen † submit to (s.
th.), undergo
unvermittelt abruptly
die Unverschämtheit, –en im-
pudence
üppig opulent, fully developed
die Ursache, –n cause
der Ursprung, ‒e source, origin
das Urteil, –e judgment, sentence

V

vag vague
verändern change, alter
das Verantwortungsgefühl, –e
consciousness of responsibility
verbergen † conceal
verbieten † forbid
verbinden † connect; bandage
die Verblüffung surprise
verbluten (ist) bleed to death
das Verbrechen, – crime
der Verbrecher, – criminal
verbreiten propagate
verbringen † spend
der Verdacht suspicion
verdammt damned
verdecken cover, conceal, camouflage

der Verein, –e society, club
verenden (ist) die, perish
verfallen † (ist) fall down; get out
of repair; *adj.* dilapidated
verfehlen miss
die Vergangenheit, –en past
vergebens in vain
das Vergehen, – offense
vergießen † shed (*blood*)
der Vergleich, –e comparison
vergleichen † compare
das Vergnügen pleasure
vergnügt pleased, happy
das Verhalten behavior
das Verhältnis, –se relationship
verhandeln negotiate
verheiraten marry
verhöhnen mock, deride
verhören interrogate
verkehrt backwards, upside down
verkennen † mistake, fail to
recognize
verkniffen puckered up
verkommen lassen † let spoil
verkünden announce
verleihen † grant
verletzen wound
sich verlieben fall in love
verlieren † lose
der Verlust, –e loss
verlustig deprived
vermeiden † avoid
vermißt werden † be missing
vernehmen † perceive, become
aware of, hear
vernünftig reasonable
verpesten infect, contaminate
verpflichten oblige
verödet deserted
verraten † betray, tell
der Verräter, – traitor
verregnet soaked with rain
verriegeln bolt, lock
verrückt crazy, mad
die Versammlung, –en meeting
verscharren bury

verschieden different, various
der Verschlag, ⸗e shed, closet
sich verschlucken swallow the wrong way, choke
sich verschränken interlace, embrace
verschweigen † conceal
verschwenden waste, squander
verschwinden † (ist) disappear
versehen † provide, furnish
der Versehgang, ⸗e trip to give the last sacrament
versenken sink
versetzen move, shift
verständigen inform
das Verständnis, -se understanding
das Versteck, -e hiding place
(sich) verstecken hide
sich verstehen † get on well
verstockt stubborn
verstricken ensnare, entangle, involve
versuchen attempt, try
verteufelt devilish
vertrauen trust
vertreten † represent, replace
verüben commit, perpetrate
verwandeln transform
verwandt related
der Verwandte (-n), -n relative
die Verwirrung, -en complication, embarrassment
verwundern surprise
der Verwundete (-n), -n wounded person
verzeihen † forgive, pardon
verzweifeln despair
der Vetter, -n (male) cousin
das Vieh cattle, livestock
das Viertel, - quarter
vollauf fully
vollenden complete
vollkommen perfect
vollständig complete

vollziehen † execute, carry out, accomplish
voraus ahead, in advance
die Voraussetzung, -en prerequisite; hypothesis
vorbei over, past
vor-bereiten prepare
vorgesehen planned
der Vorgesetzte (-n), -n superior
vorhanden on hand, present
der Vorhang, ⸗e curtain
vorher before(hand), previously
vorhin before
die Vorhut vanguard
vorig preceding
vor-kommen † (ist) occur, appear; wie kommt dir das vor? how does that seem to you?
vorläufig for the time being
vorm = vor dem in front of
vormittags in the morning
der Vorschlag, ⸗e proposal
vor-schlagen † propose
vor sich hin to oneself
die Vorsicht caution, foresight
die Vorsichtsmaßregel, -n precautionary measure
der Vorsprung, ⸗e head start
die Vorstadt, ⸗e suburb
sich vor-stellen imagine
die Vorstellung, -en conception, idea, notion
die Vorstrafe, -n previous conviction
der Vorteil, -e advantage
das Vorurteil, -e prejudice
vor-ziehen † prefer

W

wach awake
wachen be awake, wake
die Wachstafel, -n wax tablet
wackeln shake, wobble
die Waffe, -n weapon

wagen dare; sich — venture
die Wahl, –en choice, election
wahnsinnig insane
wahrscheinlich probably
der Wallfahrtsort, –e place of pil-
   grimage
warnen warn
–wärts –ward(s)
der Wechsel, – change; (bank)
   check
weder . . . noch neither . . . nor
weg away, gone
weg-blenden fade out
weg-können † be able to go away
weg-locken entice away
weg-stecken put away
das Weh pain, misery
weh tun † hurt
sich wehren defend o.s.; object
das Weib, –er woman
weich soft, yielding
weichen † (ist) yield, give way
Weihnachten pl. Christmas
der Wein, –e wine
der Weinschlauch, ⸚e wineskin
weisen † point, show
weiter farther, further
der Werfer, – mortar, rocket pro-
   jector
der Wert, –e value, worth
das Wesen, – being, essence, crea-
   ture; system
weshalb for which reason, why
weswegen why, on account of
   what
wider against, contrary to
wiederholen repeat
wiederum again
wiegen † weigh
die Wiese, –n meadow
wieso? why?
der Wildwechsel, – runway (of
   game)
wimmeln swarm
der Wind, –e wind
windschief bent

winzig tiny
wirken (have an) effect
die Wirkung, –en effect
der Wirt, –e host, innkeeper
wischen wipe
wittern suspect
die Witterung, –en smell, sense
die Witwe, –n widow
der Witz, –e joke, wit
wohlbehalten safe and sound
der Wohlstand prosperity
der Wohnsitz, –e domicile
der Wolf, ⸚e wolf
die Wolke, –n cloud
womöglich possibly
wozu what for
das Wunder, – miracle, wonder
wunderbar wonderful
sich wundern be surprised
die Würde, –n dignity
würdig worthy, dignified
die Wurzel, –n root
wüten be furious

Z

zäh(e) tenacious, tough
die Zahl, –en number
zahlen pay
zählen count, belong
der Zahn, ⸚e tooth
zart tender
zärtlich tenderly
der Zauber magic
der Zaun, ⸚e fence
zausen tousle
zechen drink, carouse
die Zehe, –n toe
das Zeichen, – sign, symbol
zeichnen draw, sign (name)
die Zeile, –n line (of print)
die Zeitung, –en news(paper),
   tiding
die Zelle, –n cell
zerbrechen † break

die **Zeremonie, –n** ceremony
zerfetzen tear into shreds
zerreißen † tear; **das Herz** rend the heart
zerschlagen † smash, shatter
zerschossen shot
zerstören destroy
das **Zeug, –e** stuff, material, cloth
der **Zeuge (–n), –n** witness
die **Ziege, –n** (she) goat
der **Ziegenarsch, ⸚e** *vulg.* hindquarters of goat
das **Ziel, –e** aim, goal, target
ziemlich fairly, rather
zögern hesitate
das **Zöpfchen, –** small pigtail
der **Zorn** anger
der **Zuber, –** tub
das **Zuchthaus, ⸚er** imprisonment at hard labor
zuerst at first
der **Zufall, ⸚e** chance, coincidence
zufällig by chance
zufrieden contented, satisfied
zugleich at the same time
zu-greifen † seize, grasp, take hand (at)
zu-hören listen (to)
zu-kommen † (ist) approach

die **Zukunft** future
zu-lassen † permit
zuliebe for . . . sake
zu-machen close, shut
zumeist for the most part
zu-muten expect (*s.th. of s.o.*)
zunächst first (of all)
die **Zuneigung, –en** inclination
zurück-bleiben † (ist) remain
zurück-denken † think back
die **Zurückgebliebenen** *pl.* those who stayed back
zurück-kehren (ist) return
zurück-schlagen † repel
(sich) **zusammen-drängen** flock together
zusammen-flicken patch up
der **Zustand, ⸚e** condition
zuverlässig reliable
zuviel too much
zuweilen at times
zu-werfen † throw to
zu-ziehen † pull closed
der **Zwang, ⸚e** force, coercion
der **Zweifel, –** doubt
der **Zweig, –e** branch, twig
zweit: zu — sein † be two by two
die **Zwiebel, –n** onion
zwingen † compel
der **Zwischenfall, ⸚e** incident

Principal Parts of Strong and Irregular Verbs

backen, buk, gebacken
befehlen, a, o; (ie)
beginnen, a, o
beißen, biß, gebissen
bergen, a, o; (i)
biegen, o, o
bieten, o, o
binden, a, u
bitten, bat, gebeten
blasen, ie, a; (ä)
bleiben, ie, ie
brechen, a, o; (i)
brennen, brannte, gebrannt
bringen, brachte, gebracht

denken, dachte, gedacht
dringen, a, u
dürfen, durfte, gedurft; (darf)

empfehlen, a, o; (ie)
empfinden, a, u
erbleichen, i, i
essen, aß, gegessen; (ißt)

fahren, u, a; (ä)
fallen, fiel, gefallen; (ä)
fangen, i, a; (ä)
fechten, focht, gefochten; (i)
finden, a, u
flechten, o, o; (i)
fliegen, o, o
fliehen, o, o
fließen, floß, geflossen
fressen, fraß, gefressen; (frißt)
frieren, o, o

geben, a, e; (i)
gebären, a, o; (ie)
gehen, ging, gegangen

gelingen, a, u
gelten, a, o; (i)
genießen, genoß, genossen
geschehen, a, e; (ie)
gewinnen, a, o
gießen, goß, gegossen
gleichen, i, i
gleiten, glitt, geglitten
glimmen, o, o
graben, u, a; (ä)
greifen, griff, gegriffen

haben, hatte, gehabt; (hat)
halten, ie, a; (hält)
hängen (hangen), hing, ge-
    hangen, gehängt; (hängt)
hauen, hieb (haute), gehauen
heben, o, o
heißen, ie, ei
helfen, a, o; (i)

kennen, kannte, gekannt
klingen, a, u
kneifen, kniff, gekniffen
kommen, kam, gekommen
können, konnte, gekonnt; (kann)
kriechen, o, o

laden, u, a; (lädt)
lassen, ließ, gelassen; (läßt)
laufen, ie, au; (äu)
leiden, litt, gelitten
leihen, ie, ie
lesen, a, e; (ie)
liegen, a, e
löschen, o, o; (i)
lügen, o, o

messen, maß, gemessen; (mißt)

mögen, mochte, gemocht; (mag)
müssen, mußte, gemußt; (muß)

nehmen, nahm, genommen;
(nimmt)
nennen, nannte, genannt

pfeifen, pfiff, gepfiffen
preisen, ie, ie

quellen, o, o; (i)

raten, ie, a; (rät)
reiben, ie, ie
reißen, riß, gerissen
reiten, ritt, geritten
rennen, rannte, gerannt
riechen, o, o
rinnen, a, o
rufen, ie, u

schaffen, schuf, geschaffen
scheiden, ie, ie
scheinen, ie, ie
schieben, o, o
schießen, schoß, geschossen
schlafen, ie, a; (ä)
schlagen, u, a; (ä)
schleichen, i, i
schließen, schloß, geschlossen
schlingen, a, u
schmeißen, schmiß, geschmissen
schmelzen, o, o; (i)
schneiden, schnitt, geschnitten
schrecken, schrak, geschrocken;
(i)
schreiben, ie, ie
schreien, ie, ie
schreiten, schritt, geschritten
schweigen, ie, ie
schwellen, o, o; (i)
schwimmen, a, o
schwinden, a, u
schwören, o (u), o
sehen, a, e; (ie)
sein, war, gewesen; (ist)
senden, sandte (sendete),
gesandt (gesendet)

singen, a, u
sinken, a, u
sinnen, a, o
sitzen, saß, gesessen
sollen, sollte, gesollt; (soll)
spinnen, a, o
sprechen, a, o; (i)
springen, a, u
stehen, stand, gestanden
stehlen, a, o; (ie)
steigen, ie, ie
sterben, a, o; (i)
stoßen, ie, o; (ö)
streichen, i, i
streiten, stritt, gestritten

tragen, u, a; (ä)
treffen, traf, getroffen; (i)
treiben, ie, ie
treten, a, e; (tritt)
trinken, a, u
trügen, o, o
tun, tat, getan; (tut)

verderben, a, o; (i)
vergessen, vergaß, vergessen
(vergißt)
verlieren, o, o

wachsen, u, a; (ä)
waschen, u, a; (ä)
weichen, i, i
weisen, ie, ie
wenden, wandte (wendete),
gewandt (gewendet)
werben, a, o; (i)
werden, wurde, geworden
(wird)
werfen, a, o; (i)
wiegen, o, o
winden, a, u
wissen, wußte, gewußt; (weiß)
wollen, wollte, gewollt; (will)

zeihen, ie, ie
ziehen, zog, gezogen
zwingen, a, u